LINHA M

CB003408

PATTI SMITH

Linha M

Tradução
Claudio Carina

2ª reimpressão

COMPANHIA DAS LETRAS

Copyright © 2015 by Patti Smith

Grafia atualizada segundo o Acordo Ortográfico da Língua Portuguesa de 1990, que entrou em vigor no Brasil em 2009.

Título original
M Train

Capa
Fabio Uehara

Foto de capa
© Claire Alexandra Hatfield

Preparação
Fabricio Waltrick

Revisão
Jane Pessoa
Angela das Neves

Dados Internacionais de Catalogação na Publicação (CIP)
(Câmara Brasileira do Livro, SP, Brasil)

Smith, Patti
    Linha M / Patti Smith ; tradução Claudio Carina. – 1ª ed. – São
Paulo : Companhia das Letras, 2016.

    Título original: M Train
    Bibliografia
    ISBN 978-85-359-2693-4

    1. Cantoras – Estados Unidos – Biografia 2. Mulheres, músicos de rock – Estados Unidos – Biografia 3. Músicos de rock – Estados Unidos – Biografia 4. Smith, Patti, 1946- – I. Título.

16-00599   CDD-782.42166092

Índice para catálogo sistemático:
1. Mulheres : Músicos de rock : Estados Unidos : Biografia
782.42166092

Todos os direitos desta edição reservados à
EDITORA SCHWARCZ S.A.
Rua Bandeira Paulista, 702, cj. 32
04532-002 — São Paulo — SP
Telefone: (11) 3707-3500
www.companhiadasletras.com.br
www.blogdacompanhia.com.br
facebook.com/companhiadasletras
instagram.com/companhiadasletras
twitter.com/cialetras

Para Sam

Estações

— Não é tão fácil escrever sobre nada.

Era o que um vaqueiro ia dizendo quando entrei no sonho. Vagamente bonito e intensamente lacônico, ele se balançava numa cadeira dobrável inclinada para trás, a aba do seu chapéu Stetson roçando a parede pardacenta no lado de fora de um café solitário. Digo solitário porque parecia não haver mais nada ao redor além de uma antiquada bomba de gasolina e uma gamela enferrujada, adornada por um colar de mosquitos pairando sobre os últimos detritos da água estagnada. Também não havia ninguém por perto, mas ele parecia não se importar com isso; simplesmente puxou a aba do chapéu sobre os olhos e continuou falando. O chapéu era um modelo Open Road, cor gelo, o mesmo que Lyndon Johnson costumava usar.

— Mas seguimos em frente — ele continuou, alimentando as esperanças mais loucas. Para redimir os perdidos, por algumas migalhas de revelações pessoais. É um vício, como tentar a sorte em um caça-níquel, ou jogar golfe.

— É muito mais fácil falar sobre nada — observei.

Ele não ignorou minha presença por completo, mas também não respondeu.

— Bem, enfim, é a minha opinião.

— Você está prestes a desistir de tudo, jogar os tacos no meio de um rio, mas de repente algo dá certo, a bola entra no buraco e as moedas enchem o seu boné, virado para cima.

O sol batia na fivela do seu cinto, projetando um clarão que tremeluzia pela planície desértica. Um apito estridente soou, e ao dar um passo à direita, vislumbrei a sombra dele despejando outra série de sofismas de um ângulo totalmente diferente.

— Eu já estive aqui, não estive?

Ele continuou ali parado, olhando para a planície.

Filho da mãe, pensei. Está me ignorando.

— Ei — insisti —, eu não estou morta, não sou uma sombra passageira. Estou aqui em carne e osso.

O vaqueiro tirou um caderninho do bolso e começou a escrever.

— Você precisa ao menos olhar para mim — falei. — Afinal, este sonho é meu.

Cheguei mais perto. Perto o suficiente para ver o que ele estava escrevendo. O caderno estava aberto numa página em branco onde subitamente se materializaram três palavras.

Não, é meu.

— Olha só que coisa — murmurei. Sombreei os olhos com a mão e olhei na mesma direção que ele — nuvens de poeira rodopiando na planície sob um céu claro —, um grande nada.

— O escritor é um condutor — ele disse com uma voz arrastada.

Eu me afastei, desistindo de sua exposição sobre os sinuosos caminhos das circunvoluções do cérebro. As palavras ficaram no ar, só caindo quando subi num trem que me desembarcou totalmente vestida na minha cama desarrumada.

Abri os olhos, levantei, cambaleei até o banheiro e joguei água fria no rosto num gesto brusco. Calcei minhas botas, dei comida para os gatos, botei meu gorro de lã e o velho casaco preto e saí pela rua tantas vezes percorrida, passando por largas avenidas até chegar a Bedford Street e a um pequeno café do Greenwich Village.

Café 'Ino

Quatro ventiladores girando no teto.

O Café 'Ino está vazio, a não ser pelo cozinheiro mexicano e por um garoto chamado Zak, que atende meu pedido habitual de torrada de pão integral, um pratinho de azeite e café preto. Me instalo no meu canto, ainda de casaco e gorro. São nove da manhã. Sou a primeira a chegar. Bedford Street enquanto a cidade acorda. Minha mesa, ladeada pela máquina de café e pela vitrine, me proporciona uma sensação de privacidade, onde me recolho na minha atmosfera particular.

Final de novembro. Faz frio no pequeno café. Mas então por que os ventiladores estão ligados? Se eu ficar olhando para eles por algum tempo, talvez minha cabeça também comece a girar.

Não é tão fácil escrever sobre nada.

Ouço o som da voz arrastada e autoritária do vaqueiro. Anoto a frase dele no meu guardanapo. Como pode o sujeito me desafiar num sonho e depois não falar mais nada? Sinto que preciso rebatê-lo, não só dar uma resposta rápida, mas agir de alguma forma. Olho para as minhas mãos. Tenho certeza de que poderia escrever infinitamente sobre nada. Se ao menos eu tivesse nada a dizer.

Depois de um tempo, Zak põe outra xícara de café na minha frente.

— Esta é a última vez que eu vou te atender — ele diz solenemente.

Ele faz o melhor café das redondezas, por isso fico triste ao ouvir aquilo.

— Por quê? Você vai para outro lugar?

— Vou abrir um café na praia, no calçadão de Rockaway Beach.

— Um café na praia! Olha só, um café na praia!

Estico as pernas e fico contemplando Zak cumprir suas tarefas matinais. Ele nem faz ideia que eu já sonhei em ter um café. Acho que essa vontade surgiu com leituras sobre a importância dos cafés na vida dos beats, dos surrealistas e dos poetas simbolistas franceses. Não existiam cafés onde eu cresci, mas havia nos meus livros, e eles floresceram nos meus sonhos. Em 1965 eu vim de South Jersey a Nova York só para perambular por aqui, e nada me parecia mais romântico que sentar e escrever poesia num café do Greenwich Village. Finalmente tive coragem e entrei no Caffè Dante, na MacDougal Street. Sem dinheiro para pedir uma refeição, só tomei um café, mas ninguém pareceu ter se incomodado. As paredes eram revestidas de murais impressos com a cidade de Florença e cenas de *A divina comédia*. As mesmas cenas que perduram até hoje, descoloridas por décadas de fumaça de cigarro.

Em 1973 me mudei para um quarto arejado e de paredes brancas com uma pequena cozinha na mesma rua, a dois quarteirões do Caffè Dante. À noite, eu podia sair pela janela da frente e ficar na escada de incêndio observando a movimentação do Kettle of Fish, um dos bares que Jack Kerouac frequentava. Havia uma pequena barraca na esquina da Bleecker Street, onde um jovem marroquino vendia pães frescos, anchovas em salmoura e ramos de hortelã fresca. Eu acordava cedo para comprar os produtos. Fervia água, despejava num bule cheio de hortelã e passava as tardes tomando chá, fumando lascas de haxixe e lendo as histórias de Mohammed Mrabet e Isabelle Eberhardt.

O Café 'Ino não existia naquela época. Eu sentava perto de uma vitrine baixa do Caffè Dante que dava para a esquina de uma viela, lendo *The Beach Café*, de Mrabet. Um jovem peixeiro chamado Driss conhece um tipo excêntrico, recluso e rabugento que tem uma espécie de café com uma só mesa e uma cadeira numa praia pedregosa perto de Tânger. A atmosfera morosa ao redor do café me deixou tão cativada que tudo que eu queria era estar lá. Assim como Driss, eu sonhava em abrir o meu próprio café. Pensava tanto naquilo que quase podia materializar meu sonho: o Café Nerval, um pequeno paraíso onde poetas e viajantes poderiam encontrar a simplicidade de um abrigo.

Imaginei tapetes persas surrados sobre assoalhos de madeira pranchada, duas mesas compridas de madeira com bancos, algumas mesas menores e até um forno para fazer pão. Toda manhã eu limparia as mesas com chá aromático, como eles fazem em Chinatown. Sem música e sem cardápios. Só silêncio café preto azeite hortelã fresca pão integral. Fotografias adornando as paredes: um melancólico retrato do homônimo do café e uma pequena imagem do desalentado poeta Paul Verlaine em seu sobretudo, debruçado sobre um copo de absinto.

Em 1978 ganhei algum dinheiro e consegui pagar o depósito, garantindo o aluguel de uma casa térrea na rua 10 Leste. O lugar tinha sido um salão de beleza, mas estava vazio, a não ser por três ventiladores de teto e algumas cadeiras dobráveis. Meu irmão, Todd, supervisionou a reforma, e, juntos, caiamos as paredes e enceramos o assoalho de madeira. Duas grandes claraboias inundavam o espaço de luz. Passei vários dias debaixo delas em uma mesinha dobrável, tomando café da delicatéssen e planejando meu próximo passo. Eu ia precisar de dinheiro para um novo toalete e uma máquina de café, e metros de musselina branca para as cortinas das janelas. Coisas práticas que geralmente se perdiam em música na minha imaginação.

No fim fui obrigada a desistir do meu café. Dois anos antes, eu tinha conhecido o músico Fred Sonic Smith em Detroit. Havia sido um encontro inesperado, que aos poucos foi alterando o rumo da minha vida. Meu desejo por ele permeava todas as coisas — meus poemas, minhas músicas, meu coração. Resistimos a uma existência paralela, indo e voltando, entre Nova York e Detroit, pequenos encontros que sempre terminavam em tristes separações. Eu estava planejando onde instalar uma pia e uma máquina de café quando Fred implorou para que eu fosse morar com ele em Detroit. Nada parecia mais importante do que ficar junto do meu amor, com quem estava destinada a me casar. Dizendo adeus a Nova York e às aspirações que ela trazia consigo, peguei tudo o que era mais precioso e deixei o resto para trás — abandonando na sequência meu depósito e meu café. Não me importei. As horas solitárias tomando café na mesinha dobrável, inundadas pelo esplendor do meu sonho de ter um café, eram suficientes para mim.

Alguns meses antes do nosso primeiro aniversário de casamento, Fred disse que me levaria a qualquer lugar do mundo se eu prometesse ter um filho com ele. Sem hesitar, escolhi Saint-Laurent-du-Maroni, uma cidade fronteiri-

ça no noroeste da Guiana Francesa, na costa do Atlântico Norte da América do Sul. Havia muito que eu desejava ver o que restava da colônia penal francesa para onde eram mandados os criminosos mais barras-pesadas antes de serem transferidos para a Ilha do Diabo. Em *Diário de um ladrão*, Jean Genet fala de Saint-Laurent como um território sagrado, descrevendo os detentos ali encarcerados com uma empatia devocional. Em seu *Diário* ele se refere a uma hierarquia criminal inviolável, uma santidade masculina que desabrochava em todo seu potencial nas terríveis plagas da Guiana Francesa. Genet passou por todos os estágios para chegar lá: reformatório, pequenos furtos e três prisões; mas, quando foi condenado, a prisão que tanto reverenciava fora fechada, considerada desumana, e os últimos detentos vivos foram reenviados à França. Genet cumpriu sua pena na prisão de Fresnes, lamentando amargamente nunca ter alcançado a grandeza a que aspirava. Inconsolável, ele escreveu: *Fui aviltado na minha infâmia.*

Genet foi preso tarde demais para participar da irmandade que imortalizou em sua obra. Ficou do lado de fora das muralhas da prisão como o garoto manco de Hamelin, a quem foi negada a entrada em um paraíso de crianças por ter chegado muito atrasado para passar pelos portões.

Aos setenta anos, sua saúde frágil provavelmente não teria permitido que chegasse até lá. Eu havia pensado em levar um pouco de terra e pedras do lugar para ele. Embora costumasse se divertir com minhas ideias quixotescas, Fred levou a sério a missão que me impus. Concordou sem discutir. Escrevi para William Burroughs, que conheci com pouco mais de vinte anos. Próximo a Genet e dono de uma sensibilidade romântica peculiar, William prometeu me ajudar na entrega das pedras no devido tempo.

Em preparação para nossa viagem, eu e Fred passamos nossos dias na Biblioteca Pública de Detroit, estudando a história do Suriname e da Guiana Francesa. Não víamos a hora de explorar um lugar que nenhum de nós conhecia, e mapeamos as primeiras páginas da nossa jornada: a única rota disponível era um voo comercial até Miami, depois uma linha aérea regional que passaria por Barbados, Granada e Haiti, antes de finalmente pousar no Suriname. Teríamos de encontrar um jeito de ir até uma cidade ribeirinha perto da capital, e lá alugar um barco para atravessar o rio Maroni rumo à Guiana Francesa. Ficávamos planejando nosso caminho até tarde da noite. Fred comprou mapas, roupas cáqui, traveler's checks e uma bússola; cortou os cabelos longos e escorridos; e comprou um dicionário de francês. Quando abraçava uma ideia,

Fred analisava a coisa por todos os ângulos. No entanto, ele nunca havia lido Genet. Deixou isso por minha conta.

Eu e Fred partimos de Miami num domingo e passamos duas noites em um hotel de beira de estrada chamado Mr. Tony's. A televisão em preto e branco parafusada no teto baixo funcionava com moedas. Comemos feijão-vermelho e arroz-amarelão em Little Havana e visitamos o Crocodile World. A curta estadia nos preparou para o calor extremo que estávamos prestes a encarar. Nossa viagem foi um lento processo, pois todos os passageiros eram obrigados a desembarcar em Granada e no Haiti enquanto as bagagens eram revistadas em busca de contrabando. Finalmente aterrissamos no Suriname ao amanhecer; um grupo de jovens soldados com armas automáticas observava enquanto éramos levados a um ônibus que nos transportaria a um hotel vigiado. O primeiro aniversário de um golpe militar que havia deposto o governo democrático em 25 de fevereiro de 1980 se aproximava: uma data comemorada poucos dias antes do nosso próprio aniversário. Éramos os únicos americanos por ali, e eles nos garantiram que estávamos sob sua proteção.

Depois de alguns dias vergados sob o calor de Paramaribo, um guia nos levou de carro por um trajeto de 150 quilômetros até a cidade de Albina, na margem oeste do rio que delimitava a fronteira com a Guiana Francesa. O céu cor-de-rosa coruscava com relâmpagos. Nosso guia encontrou um garoto que concordou em nos levar pelo rio Maroni de piroga, uma canoa comprida e escavada. Embalada com cuidado, nossa bagagem foi bem fácil de carregar. Partimos debaixo de uma chuva leve que logo se transformou num aguaceiro torrencial. O garoto me deu um guarda-chuva e nos alertou sobre não arrastarmos os dedos na água ao redor da canoa. De repente notei que o rio vicejava de peixinhos pretos. Piranhas! O garoto riu quando recolhi rapidamente a mão.

Em mais ou menos uma hora o garoto nos deixou à beira de um aterro lodoso. Arrastou a piroga para a terra e foi se juntar a uns trabalhadores que se abrigavam debaixo de um encerado preto estendido sobre quatro estacas de madeira. Eles pareceram se divertir com nossa confusão momentânea e nos apontaram a direção da estrada principal. Enquanto batalhávamos para subir um montículo escorregadio, o ritmo de calipso de "Soca Dance" com Mighty Swallow ressoando num potente aparelho portátil era quase abafado pela chuva insistente. Totalmente encharcados, entramos na cidade deserta, nos abrigando afinal no que parecia ser o único bar da região. O barman me serviu um café e para o Fred, uma cerveja. Dois homens bebiam calvados. A tarde foi passando enquanto eu consumia várias xícaras de café e Fred conversava numa mistura macarrônica de inglês e francês com um sujeito de pele curtida que administrava uma reserva de tartarugas perto dali. Quando a chuva diminuiu, o dono do hotel local apareceu para oferecer seus serviços. Logo depois, surgiu uma versão mais jovem e mais mal-humorada dele para pegar nossas malas e nós seguimos por uma ladeira enlameada até o nosso novo alojamento. Nem tínhamos reservado um hotel, mas ainda assim havia um quarto nos esperando.

O Hôtel Galibi era espartano, mas confortável. Em cima da penteadeira haviam deixado uma garrafinha de conhaque aguado e dois copos de plástico. Exaustos, dormimos, mesmo quando a chuva incessante voltou a martelar o telhado de latão corrugado. Ao acordarmos, encontramos xícaras de café à nossa espera. O sol da manhã estava forte. Deixei nossas roupas para secar no pátio. Havia um pequeno camaleão se disfarçando na cor cáqui da camisa de Fred. Esvaziei nossos bolsos numa mesinha. Um mapa

amassado, recibos molhados, frutas esfaceladas, as onipresentes palhetas da guitarra de Fred.

Por volta do meio-dia um carregador de cimento nos deu uma carona até os arredores das ruínas da prisão de Saint-Laurent. Algumas galinhas soltas ciscavam a terra e vimos uma bicicleta jogada, mas não parecia haver ninguém por perto. Nosso motorista entrou conosco por uma baixa arcada de pedra e desapareceu em seguida. A área tinha uma atmosfera trágica de uma cidade defunta que já fora próspera — que extraía as almas e mandava os invólucros para a Ilha do Diabo. Eu e Fred nos movimentávamos em um silêncio alquímico, preocupados em não perturbar os espíritos reinantes.

Entrei nas celas solitárias em busca das pedras certas, examinando os esmaecidos grafites tatuados nas paredes. Colhões peludos, pintos com asas, o órgão primordial dos anjos de Genet. Não é aqui, pensei, ainda não. Olhei ao redor à procura de Fred. Ele tinha se embrenhado pelo mato alto entre enormes palmeiras e localizado uma pequena sepultura. Vi-o de pé diante de uma lápide que dizia: *Filho, sua mãe está rezando por você*. Fred ficou lá um bom tempo olhando para o céu. Deixei-o ali sozinho e saí para explorar as construções periféricas, finalmente escolhendo o chão de terra de uma cela coletiva para recolher as pedras. Era um lugar úmido, do tamanho de um pequeno hangar de aviões. Correntes pesadas e enferrujadas ancoravam-se nas paredes iluminadas por delgadas nesgas de luz. Mas ainda restava algum cheiro de vida: esterco, terra e um bando de besouros irrequietos.

Escavei alguns centímetros à procura de pedras que poderiam ter sido pisadas pelos pés calosos dos detentos ou pelas solas das botas pesadas dos guardas. Escolhi três pedras com todo o cuidado e as guardei numa grande caixa de fósforos Gitanes, deixando intactos os pedaços de terra encrostados. Fred me ofereceu um lenço para limpar a terra das mãos e, depois de sacudi-lo, fez um saquinho para a caixa de fósforos. Pôs aquilo nas minhas mãos, o primeiro passo para colocar aquilo nas mãos de Genet.

Não ficamos muito tempo em Saint-Laurent. Fomos até a orla marítima, mas as reservas das tartarugas eram vedadas ao público, por estarmos na época de desova. Fred passou um bocado de tempo no bar conversando com o pessoal. Apesar do calor, Fred usava camisa e gravata. Os homens pareciam respeitá-lo, tratando-o sem qualquer ironia. Ele causava esse efeito em outros homens. Eu me contentei em ficar sentada num engradado na porta do bar observando a rua deserta que nunca tinha visto e talvez nunca tornasse a ver. No passado os prisioneiros desfilavam por aquela mesma rua. Fechei os olhos e os imaginei arrastando as correntes sob o calor intenso, um entretenimento cruel para os poucos habitantes de uma cidade esquecida e empoeirada.

Enquanto percorria o caminho entre o bar e o hotel, percebi que não havia cachorros nem crianças brincando, nem mulheres. Na maior parte do tempo, eu me isolava. De vez em quando avistava a camareira, uma garota de cabelo preto e comprido que vivia descalça, ocupada ao redor do hotel. Ela sorria e gesticulava para mim, mas não falava inglês, estava sempre para lá e para cá. Arrumando o nosso quarto, recolhendo nossas roupas do pátio, depois de lavar e passar. Para agradecer, dei a ela um dos meus braceletes, uma corrente de ouro com um trevo de quatro folhas, que avistei balançando no pulso dela quando partimos.

Não havia trens na Guiana Francesa, nenhuma estrada de ferro. O cara do bar nos arrumou um motorista, que se vestia como um figurante de *Balada sangrenta*. Óculos escuros Ray-Ban, boina de lado e uma camisa de estampa de leopardo. Combinamos um preço e ele concordou em nos levar pelos 268 quilômetros até Caiena. Ele dirigia um surrado Peugeot marrom-claro e insistiu em levar nossas bagagens no banco da frente, pois normalmente transportava galinhas no porta-malas. Percorremos a Route Nationale debaixo de chuvas constantes interrompidas por um sol fugidio, ouvindo reggae numa estação cheia de estática. Quando o sinal se perdia, o motorista mudava para a fita cassete de uma banda chamada Queen Cement.

De vez em quando eu abria a trouxinha do lenço para olhar a caixa de fósforos Gitanes, mostrando a silhueta de uma cigana fazendo pose com um tamborim numa nuvem de fumaça azulada. Mas sem abrir a caixa. Visualizava o momento breve porém triunfal em que entregaria as pedras a Genet. Fred ficou segurando minha mão sem falar nada, enquanto passávamos por densas florestas e ameríndios de ombros largos, baixos e robustos, equilibrando iguanas na cabeça. Passamos por pequenas comunidades como Tonate, com umas poucas casas e um crucifixo de dois metros. Pedimos para o motorista parar. Ele saiu e examinou os pneus. Fred tirou uma foto do sinal que dizia *Tonate. População 9*, e eu fiz uma pequena oração.

Estávamos livres de qualquer desejo ou expectativa. Com nossa principal missão cumprida, não tínhamos um destino final, nenhuma reserva de hotel; estávamos livres. Mas ao nos aproximarmos de Kourou, sentimos uma mudança. Estávamos entrando numa zona militar e paramos num posto de controle. A carteira de habilitação do motorista foi examinada, e depois de um interminável período de silêncio nos mandaram sair do carro. Dois guardas revistaram os bancos da frente e de trás, encontrando um canivete automático com a mola quebrada no porta-luvas. Não pode ser tão grave, pensei, mas nosso motorista ficou visivelmente agitado quando eles bateram no porta-malas. Galinhas mortas? Talvez drogas. Deram a volta no carro e pediram as chaves. O motorista jogou as chaves num barranco e saiu correndo, mas logo foi apanhado e levado ao chão. Olhei para Fred ao meu lado. Ele já tivera problemas com a lei quando jovem e nunca se dera bem com autoridades. Ele não estava demonstrando nenhuma emoção, e eu segui seu exemplo.

Os soldados abriram o porta-malas do carro. Dentro havia um homem que parecia ter pouco mais de trinta anos, encolhido como uma lesma numa concha enferrujada. Pareceu aterrorizado quando o cutucaram com um fuzil e o mandaram sair. Fomos todos levados para a sede da polícia, distribuídos

em salas separadas e interrogados em francês. Eu sabia o suficiente para responder as perguntas mais simples, e Fred, instalado em outra sala, conversava aos trancos com seu francês de boteco. De repente o comandante chegou e fomos levados até ele. Ele tinha peito largo, olhos escuros e tristes, e um grosso bigode que dominava seu rosto preocupado e bronzeado de sol. Fred avaliou logo a situação. Vesti o papel de mulher prejudicada, pois aquele anexo obscuro da Legião Estrangeira era definitivamente um mundo masculino. Observei em silêncio quando o contrabando humano, despido e algemado, foi levado dali. Fred foi chamado à sala do comandante. Ele se virou e olhou para mim. "Fique calma" foi a mensagem telegrafada por seus olhos azul-claros.

Um guarda trouxe nossas malas, e outro vasculhou tudo usando luvas brancas. Fiquei ali com meu saquinho enrolado no lenço. Me senti aliviada por não o terem me pedido, pois o objeto já manifestava uma sacralidade que só ficava atrás do meu anel de casamento. Não me senti em perigo, mas me aconselhei a ficar de boca fechada. Um interrogador me trouxe um café preto numa bandeja oval decorada com uma borboleta azul e entrou na sala do comandante. Pude ver o perfil de Fred. Depois de algum tempo todos saíram. O clima parecia ser amigável. O comandante deu a Fred um abraço másculo e fomos

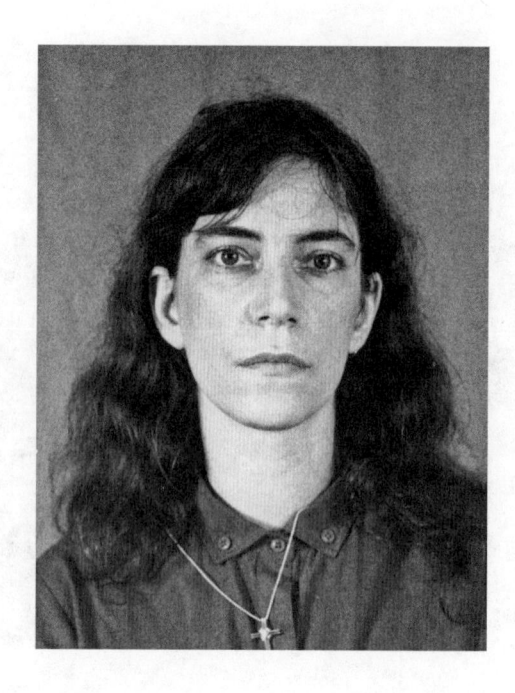

colocados em um automóvel particular. Nenhum de nós disse uma palavra enquanto rumávamos para Caiena, localizada às margens do estuário do rio Caiena. Fred tinha o endereço de um hotel indicado pelo comandante. Fomos deixados no sopé de um morro, o fim da linha. É em algum lugar lá em cima, indicou o motorista, e carregamos nossas malas até os degraus de pedra que levavam ao caminho de nosso próximo alojamento.

— Sobre o que vocês dois falaram? — perguntei.

— Não sei dizer ao certo, ele só falava francês.

— Como vocês se comunicaram?

— Conhaque.

Fred pareceu imerso em pensamentos.

— Eu sei que você está preocupada com o destino do motorista — ele disse —, mas isso não está em nossas mãos. Ele nos colocou numa situação difícil, e no final minha preocupação era com você.

— Ah, eu não estava com medo.

— Eu sei — ele admitiu —, e essa era a minha preocupação.

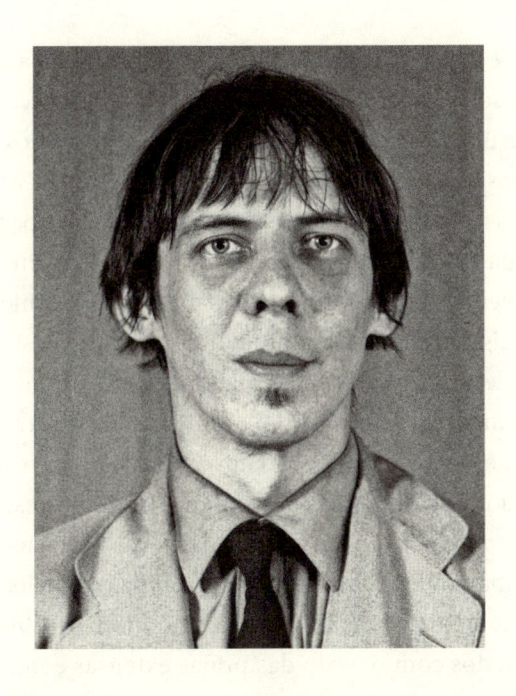

O hotel nos agradou. Bebemos conhaque francês direto da garrafa, dentro de um saco de papel, e dormimos envoltos em camadas de mosquiteiros. As janelas não tinham vidros — nem no nosso hotel nem nas casas abaixo. Sem ar-condicionado, só o vento e alguma chuva esporádica aliviavam o calor e a poeira. Ouvíamos os gemidos simultâneos de saxofones à la Coltrane vindos dos cortiços de cimento. De manhã saímos para explorar Caiena. A praça da cidade parecia mais um trapézio de lajotas em preto e branco ladeado por altas palmeiras. Era época de Carnaval, e nós nem sabíamos, e a cidade estava quase deserta. A prefeitura, um edifício colonial do século xix pintado de branco, estava fechada devido aos feriados. Fomos atraídos por uma igreja aparentemente abandonada. Quando abrimos o portão, sujamos as mãos de ferrugem. Deixamos algumas moedas na entrada, numa velha lata de Chock Full O' Nuts com o slogan *O café divino* para coleta de doações. Ácaros se dispersavam em raios de luz antes de formarem um halo acima de um anjo de alabastro reluzente; ícones de santos encolhiam-se atrás de entulhos caídos, irreconhecíveis sob camadas de verniz escurecido.

Tudo parecia fluir em câmera lenta. Apesar de sermos forasteiros, circulávamos sem sermos notados. Homens discutiam o preço de uma iguana viva, com uma cauda longa e agitada. Balsas partiam lotadas para a Ilha do Diabo. Música em ritmo de calipso transbordava de uma gigantesca discoteca em forma de um lagarto. Havia umas poucas barraquinhas vendendo os mesmos suvenires: cobertas vermelhas feitas na China e capas de chuva azul-metálicas. Mas principalmente isqueiros, todos os tipos de isqueiros, com imagens de papagaios, naves espaciais e homens da Legião Estrangeira. Como não havia muito que fazer ali, pensamos em solicitar um pedido de visto para o Brasil e fomos tirar nossos retratos com um misterioso chinês chamado Dr. Lam. Seu estúdio era cheio de câmeras de grandes dimensões, tripés quebrados e fileiras de remédios à base de plantas em grandes potes de vidro. Pegamos as fotos para o visto, mas ficamos em Caiena até o nosso aniversário de casamento, como que enfeitiçados.

No último domingo da nossa viagem, mulheres de vestidos claros e homens de cartola comemoravam o fim do Carnaval. Seguindo a pé um desfile improvisado, acabamos em Rémire-Montjoly, uma comunidade a sudoeste da cidade. Os foliões se dispersaram. Rémire era quase desabitada, e eu e Fred ficamos hipnotizados com o vazio das praias extensas e impetuosas. Era um dia perfeito para o nosso aniversário e não pude deixar de pensar que aquele era o lugar perfeito para montar um café de praia. Fred andava na minha frente, assobiando para um cachorro preto que seguia adiante. Não havia sinal do seu dono. Fred atirou um pedaço de pau na água e o cachorro foi buscá-lo. Ajoelhei na areia e rabisquei planos de um café imaginário com o dedo.

Uma sequência de imagens em ângulos obscuros, um copo de chá, um jornal aberto e uma mesa de metal redonda, equilibrada numa caixa de fósforos de papel vazia. Cafés. Le Rouquet em Paris, Café Josephinum em Viena, Bluebird Coffeeshop em Amsterdam, Ice Café em Sydney, Café Aquí em Tucson, Wow Café em Point Loma, Caffe Trieste em North Beach, Caffè del Professore em Nápoles, Café Uroxen em Uppsala, Lula Cafe em Logan Square, Lion Cafe em Shibuya e Café Zoo na estação ferroviária de Berlim.

O café que nunca vou montar, os cafés que nunca vou conhecer. Como se lesse minha mente, Zak me traz outra xícara sem dizer nada.

— Quando você vai abrir o seu café? — pergunto.

— Quando o tempo mudar, espero que no início da primavera. Eu e alguns amigos. Temos que organizar algumas coisas, e precisamos de um pouco mais de capital para comprar alguns equipamentos.

Pergunto quanto, me oferecendo para investir.

— Tem certeza — ele pergunta, um tanto surpreso, pois na verdade não nos conhecemos muito bem. Nossa cumplicidade se resume ao nosso ritual diário do café.

— Sim, tenho. Já pensei antes em abrir um café.

— Você vai tomar café de graça pelo resto da vida.

— Se Deus quiser — respondo.

Fico diante do incomparável café de Zak. Os ventiladores giram no teto, simulando as quatro direções de um cata-vento transversal. Ventos fortes, chuva fria ou a ameaça de chuva; um insinuante continuum de céus calamitosos que permeiam sutilmente todo meu ser. Sem perceber, sou envolta por um mal-estar leve porém prolongado. Não uma depressão, algo mais como um fascínio pela melancolia, que giro na mão como se fosse um pequeno planeta, triscado de sombras, de um azul impossível.

Cadeira de Roberto Bolaño, Blanes, Espanha.

Mudando de canal

Subo até o meu quarto e sua claraboia solitária, uma mesa de trabalho, uma cama, a bandeira da Marinha do meu irmão, enrolada e amarrada por ele mesmo, e uma pequena poltrona forrada de linho puído encostada no canto perto da janela. Tiro o casaco, é hora de tocar a vida. Tenho uma boa mesa, mas prefiro trabalhar na cama, como o convalescente de um poema de Robert Louis Stevenson. Um zumbi otimista escorado em travesseiros, produzindo páginas de frutas sonâmbulas — não bem maduras nem passadas. Às vezes escrevo direto no meu pequeno laptop, olhando envergonhada para a prateleira onde fica minha máquina de escrever com sua fita ancestral perto de um obsoleto processador de texto Brother. Uma teimosa devoção me impede de tocar naquelas coisas. E ainda há os montes de cadernos com seus conteúdos me chamando — confissões, revelações, variações intermináveis do mesmo parágrafo — e pilhas de guardanapos rabiscados com uma garatuja incompreensível. Frascos de tinta escorridos, bicos de pena, recargas para canetas há muito desaparecidas, lapiseiras sem grafite. Entulhos de escritor.

Passo batida pelo Dia de Ação de Graças, arrastando meu mal-estar até dezembro, com um prolongado período de solidão forçada, embora infelizmente sem efeitos cristalinos. Pelas manhãs dou comida aos gatos, pego minhas coisas em silêncio e sigo pela Sexta Avenida em direção ao Café 'Ino, sento à minha mesa de canto habitual e tomo meu café, finjo escrever, ou escrevo mesmo, com mais ou menos os mesmos resultados duvidosos. Evito compromissos sociais e faço planos radicais de passar os feriados sozinha. Na véspera de Natal presenteio os felinos com camundongos de brinquedo recendendo a erva-dos-gatos e saio sem rumo pela noite ociosa, para afinal aterrissar em um cinema perto do Chelsea Hotel com uma sessão tardia de *Millennium: Os homens que não amavam as mulheres*. Compro minha entrada, pego um copo grande de café e um saco de pipoca orgânica na delicatéssen da esquina e me acomodo no meu lugar no fundo da sala de projeção. Só eu e um bando de desocupados, confortavelmente isolados do mundo, curtindo o bem-estar do feriado do nosso jeito, sem presentes, sem menino Jesus, sem bugigangas nem enfeites de Natal, apenas com uma sensação de liberdade completa. Gostei do clima do filme. Eu já havia assistido à versão sueca sem legendas, mas não tinha lido os livros, por isso agora consegui entender a trama e me perder na paisagem árida da Suécia.

Já passava da meia-noite quando comecei a voltar para casa. Era uma noite relativamente amena e senti uma irresistível sensação de tranquilidade que lentamente desandou num desejo de estar em casa, na minha cama. Havia poucos sinais de Natal nas ruas desertas, somente alguns enfeites encrustados nas folhas molhadas. Dei boa-noite aos gatos esparramados no sofá e, enquanto subia para o quarto, Cairo, uma gatinha abissínia com a pelagem da cor das pirâmides, seguiu nos meus calcanhares. Destranquei um armário de vidro e desembrulhei com todo cuidado um presépio flamengo composto de Maria e José, dois bois e um bebê na manjedoura, e organizei tudo no alto da minha estante. Esculpidos em osso, eles tinham adquirido uma pátina dourada ao longo de seus dois séculos de existência. Que tristeza, pensei, admirando os bois, aquilo só ser exposto na época do Natal. Desejei feliz aniversário ao bebê, tirei os livros e papéis da minha cama, escovei os dentes, afastei a colcha e deixei Cairo dormir em cima da minha barriga.

A véspera do Ano-Novo foi mais ou menos a mesma história, sem nenhuma resolução específica. Enquanto milhares de bêbados festeiros se esparramavam pela Times Square, minha gatinha abissínia andava em círculos, me seguindo enquanto eu lutava com um poema que queria concluir para anunciar o Ano-Novo, em homenagem ao grande escritor chileno Roberto Bolaño. Quando li seu *Amuleto*, percebi uma referência passageira à hecatombe — um antigo abate ritualístico de cem bois. Resolvi escrever uma hecatombe para ele — um poema de cem versos. Seria uma forma de lhe agradecer por ter passado a última etapa de sua breve vida correndo para terminar sua obra-prima, *2666*. Bem que ele podia ter gozado de uma dispensa especial para ter vivido mais. Pois *2666* parece ter sido pensado para continuar para sempre, enquanto ele quisesse escrever. Essa triste porção de injustiça serviu lindamente a Bolaño, para morrer no auge de seus poderes aos cinquenta anos de idade. A perda do escritor e de seus não escritos nos nega ao menos um dos segredos do mundo.

Enquanto as últimas horas do ano escoavam, escrevi, reescrevi e depois recitei os versos em voz alta. Mas quando a bola caiu na Times Square percebi que havia escrito 101 versos por engano, e não conseguia decidir qual deles sacrificar. Também me ocorreu que sem querer eu estava evocando a matança dos mesmos bois de osso envernizado que velavam o menino Jesus do presépio na minha estante. Fazia diferença que o ritual fosse apenas na forma de palavras? Fazia diferença que meus bois fossem esculpidos em osso? Depois de alguns minutos de ruminações circulares deixei minha hecatombe de lado temporariamente e mudei para um filme. Enquanto assistia a *O evangelho segundo são Mateus*, notei que a jovem Maria de Pasolini lembrava a igualmente jovem Kristen Stewart. Apertei o botão pause e preparei uma xícara de Nescafé, vesti um blusão de moletom com capuz e saí para sentar na minha sacada. Era uma noite clara e fria. Alguns garotos bêbados falaram comigo, provavelmente eram de Nova Jersey.

— Que horas são?

— Hora de vomitar — respondi.

— Não diga isso na frente dela, ela vem fazendo isso a noite toda.

Era uma ruiva descalça com um minivestido de lantejoulas.

— Onde ela deixou o casaco? Querem que eu pegue uma blusa para ela?

— Não, ela está bem.

— Bem, feliz Ano-Novo.

— Já aconteceu?

— Já, há uns 48 minutos.

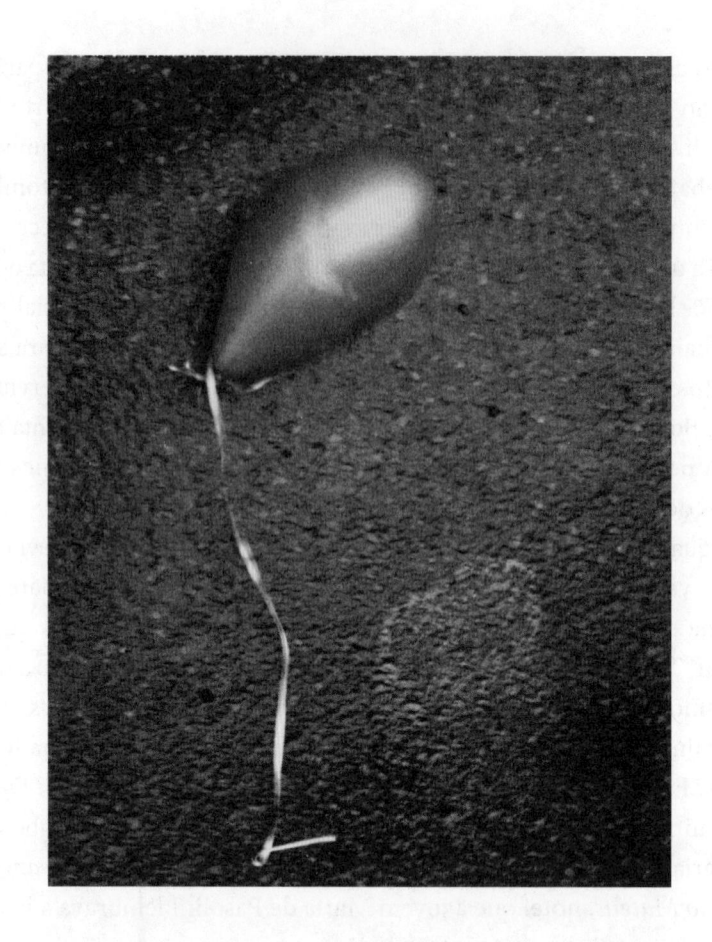

Eles logo viraram a esquina e desapareceram, deixando um balão prateado murcho pairando acima da calçada. Resgatei o balão no momento em que ele tocou o chão.

— Isso resume tudo — falei em voz alta.

Neve. Só o suficiente para raspar em minhas botas. Vestindo meu casaco preto e gorro, marcho pela Sexta Avenida como um dedicado carteiro, entregando-me diariamente ao toldo alaranjado do Café 'Ino. Enquanto trabalho mais uma vez em variações do poema da hecatombe para Bolaño, minha visita matinal se estende até a tarde. Peço uma sopa de feijão toscana, pão integral com azeite e mais café preto. Conto as linhas do pretenso poema de cem versos, agora três mais curto. Noventa e sete pistas, nenhum mistério resolvido, mais um poema arquivado.

Eu deveria sair daqui, penso, sair da cidade. Mas para onde iria sem arrastar minha incurável letargia comigo, como a sacola de lona gasta de um jogador de hóquei adolescente e cheio de fúria? E o que seria de minhas manhãs no meu cantinho, ou de minhas noites zapeando canais de TV com um obstinado controle remoto que precisa ser sacudido várias vezes até acordar?

— Eu já troquei suas pilhas — falo com um tom de cobrança. — Mude logo essa droga de canal.

— Você não devia estar funcionando?

— Eu estou assistindo às minhas séries policiais — murmuro sem me desculpar, o que não é pouca coisa. Os poetas de ontem são os detetives de hoje. Passam a vida farejando o centésimo verso, resolvendo um caso, manquitolando exaustos em direção ao pôr do sol. Eles me entretêm e me dão força. Linden e Holder. Goren e Eames. Horatio Caine. Eu ando com eles, adoto seus modos, sofro com seus fracassos, reflito sobre seus movimentos ainda por muito tempo depois do final do episódio, seja em tempo real ou nas reprises.

A insolência de um pequeno objeto portátil! Talvez eu devesse estar preocupada por conversar com objetos inanimados. Mas não há problema nenhum, já que isso faz parte da minha vida desde que eu era criança. O que realmente me incomoda é o fato de ter febre do feno em janeiro. As rugosidades do meu cérebro parecem assoladas por um redemoinho de pólen. Suspirando, perambulo pelo quarto em busca de objetos queridos, para me certificar de que eles não haviam sido atraídos para aquela região semidimensional onde as coisas simplesmente desaparecem. Coisas que não são apenas meias ou óculos: a palheta eletrônica de Kevin Shield, uma foto da cara de sono de Fred, uma cuia de oferendas da Birmânia, as sapatilhas de balé de Margot Fonteyn, uma girafa disforme de barro moldada pelas mãos da minha filha. Paro em frente à cadeira do meu pai.

Meu pai sentou à escrivaninha dele, nesta cadeira, durante décadas, preenchendo cheques, declarações de imposto e trabalhando fervorosamente em seu sistema para apostar nos cavalos. Pilhas de exemplares do *The Morning Telegraph* amontoadas contra a parede. Um diário embrulhado numa flanela, com anotações de perdas e ganhos em apostas imaginárias, guardado na gaveta da esquerda. Ninguém ousava tocar nele. Ele nunca falava sobre seu sistema,

mas trabalhava nele de maneira religiosa. Não era um apostador, nem tinha recursos para isso. Era um trabalhador de fábrica com curiosidade matemática, em busca de uma brecha, procurando padrões e um portal de probabilidades que se abrisse para o significado da vida.

Eu admirava meu pai à distância. Ele parecia um sonhador afastado da nossa vida doméstica. Era simpático e receptivo, com uma elegância secreta que o destacava dos nossos vizinhos. Mas nunca se sentiu superior a eles. Era um homem decente e que fazia seu trabalho. Quando jovem foi corredor, grande atleta e acrobata. Na Segunda Guerra Mundial ficou aquartelado nas selvas da Nova Guiné e das Filipinas. Apesar de ser contra a violência, foi um soldado patriota, mas os bombardeios atômicos de Hiroshima e Nagasaki partiram seu coração e ele passou a lamentar a crueldade e a fraqueza da nossa sociedade materialista.

Meu pai trabalhava no turno da noite. Dormia de dia, saía quando estávamos na escola e voltava tarde da noite, quando já estávamos dormindo. Nos fins de semana éramos obrigados a lhe conceder certa privacidade, pois ele tinha pouco tempo para si mesmo. Ele ficava sentado na sua poltrona favorita assistindo ao beisebol com a Bíblia da família no colo. Frequentemente lia passagens em voz alta querendo provocar discussões. Questione tudo, ele nos dizia. Usava camiseta preta, uma calça escura surrada enrolada até as canelas e mocassins em todas as estações do ano. Estava sempre de mocassins, pois minha irmã, meu irmão e eu economizávamos nossas moedas o ano todo para comprar um novo par para ele no Natal. Nos últimos anos, ele alimentava os pássaros com tanto afinco, sob quaisquer intempéries, que eles até atendiam e pousavam em seu ombro quando ele os chamava.

Quando ele morreu, herdei sua mesa e cadeira. Dentro de uma gaveta encontrei uma caixa de charutos com cópias de cheques, cortadores de unha, um relógio Timex quebrado e um recorte de jornal amarelado com uma foto minha sorrindo em 1959, recebendo o prêmio de terceira colocada num concurso nacional de avisos de segurança. Guardo até hoje a caixa na gaveta superior direita. A robusta cadeira de madeira, que minha mãe irreverentemente decorou com decalques de rosas pintadas, fica perto da parede em frente à minha cama. A cicatriz de uma queimadura de cigarro no assento dá a ela uma sensação de vida. Passo o dedo sobre a queimadura, recordando o maço de Camel sem filtro de meu pai. A mesma marca que John Wayne fumava, com o dromedário dourado e a silhueta da palmeira desenhados no maço, evocando lugares exóticos e a Legião Estrangeira francesa.

Você devia sentar em mim, insiste a cadeira, mas eu não consigo. Não podíamos nunca sentar à mesa do meu pai, por isso não uso a cadeira dele, só a mantenho por perto. Uma vez me sentei na cadeira de Roberto Bolaño quando visitei a casa da família na cidade litorânea de Blanes, no nordeste da Espanha. Me arrependi na hora. Tirei quatro fotos dela, uma cadeira simples que ele supersticiosamente levava de uma morada para outra. Era sua cadeira de escrever. Será que eu achei que sentar nela me tornaria uma escritora melhor? Com um estremecimento de autocensura, limpo a poeira do vidro que protege minha foto daquela cadeira.

Vou até o andar de baixo e volto ao meu quarto com duas caixas cheias, despejando o conteúdo delas sobre a cama. Hora de encarar a última corres-

pondência do ano. Primeiro passo pelos folhetos, coisas como apartamentos para temporada em Jupiter Beach, lucrativos métodos de investimentos para idosos e envelopes coloridos sobre como trocar minhas milhas acumuladas de passageira frequente por lindos presentes. Todos vão para a reciclagem ainda fechados, mas com uma pontada de culpa, considerando a quantidade de árvores necessária para produzir aquele monte de porcaria não solicitada. Por outro lado, há alguns bons catálogos oferecendo manuscritos alemães do século XIX, memorabilia da geração beat e páginas e mais páginas sobre roupas de cama vintage em linho belga, tudo para deixar ao lado da privada para diversões futuras. Passo pela minha cafeteira, que parece um monge sentado num pequeno armário de metal onde guardo minhas xícaras de porcelana. Dou um tapinha na cabeça dela, evitando olhar para a máquina de escrever e o controle remoto, e pondero sobre a razão de alguns objetos inanimados serem muito mais bacanas que outros.

Nuvens passam pela frente do sol, e uma luz leitosa atravessa a claraboia e se espalha pelo quarto. Tenho uma vaga sensação de estar sendo convocada. Alguma coisa está me chamando, por isso fico bem imóvel, como a detetive Sarah Linden nos créditos de abertura de *The Killing*, às margens de um pântano no crepúsculo. Avanço lentamente em direção à minha escrivaninha e abro o tampo dela. Não faço isso com muita frequência, pois algumas coisas preciosas retêm lembranças dolorosas demais para serem revisitadas. Felizmente não preciso olhar lá dentro, pois minha mão sabe o tamanho, a textura e a localização de todos os objetos que estão ali. Enfio a mão embaixo do meu único vestido de infância e tiro uma caixinha de metal com furos na tampa. Respiro fundo antes de abri-la, pois alimento o medo irracional de que o seu conteúdo sagrado possa se dissipar quando confrontado com uma súbita lufada de ar. Mas não, está tudo intacto. Quatro pequenos anzóis, três iscas artificiais com penas e uma feita de borracha lilás transparente, como uma caixa de Juicy Fruit ou de Swedish Fish, em forma de vírgula com uma cauda espiralada.

— Olá, Curly — sussurro, me sentindo contente de repente.

Acaricio a isca com a ponta dos dedos. Sinto o calor e o reconhecimento, lembranças do tempo que passei pescando com Fred em um barco a remo em Lake Ann, no norte de Michigan. Fred me ensinou a lançar a linha e me deu uma vara de pescar retrátil da marca Shakespeare, cujas partes se encaixam como flechas num estojo portátil em forma de aljava. Fred pescava com elegância e paciência, usando um arsenal de iscas — tanto vivas quanto artificiais — e pesos. Eu tinha minha vara de arqueiro e aquela mesma caixinha com Curly — minha aliada secreta. Minha pequena isca! Como consegui esquecer nossas horas de doces conjecturas? Como me era útil quando lançada em águas insondáveis, bailando seu tango persuasivo com a perca escorregadia da qual depois tirei as escamas e fritei para Fred.

O rei está morto, hoje não tem pescaria.

Guardo Curly com carinho na escrivaninha e encaro minha correspondência com uma nova atitude — contas, petições, convites para festas que já aconteceram, uma iminente intimação para ser jurada. Logo ponho de lado um item de particular interesse — um envelope pardo, simples, carimbado e com lacre de cera com as letras CDC em relevo. Corro até um armário trancado, seleciono um abridor de cartas de cabo de osso, a única maneira apropriada de abrir uma preciosa carta do Continental Drift Club. O envelope contém um pequeno cartão vermelho com o número 23 gravado em preto e um convite escrito à mão para realizar uma palestra sobre um tema de minha escolha na convenção semestral que acontecerá em meados de janeiro em Berlim.

Sinto uma grande animação, mas não tenho tempo a perder, pois a carta é datada de algumas semanas atrás. Escrevo rapidamente uma resposta positiva, depois vasculho a mesa em busca de uma folha de selos, pego meu gorro e casaco, e jogo a carta numa caixa de correio. Em seguida rumo para a Sexta Avenida e para o 'Ino. É meio da tarde e o lugar está vazio. Na minha mesa tento escrever uma lista de itens para levar na viagem, mas sou imersa num certo devaneio que me leva de volta alguns anos no tempo, até as cidades de Bremen, Reykjavík, Jena e então Berlim, para me reencontrar com os confrades do Continental Drift Club.

Formado no início dos anos 1980 por um meteorologista dinamarquês, o CDC é uma sociedade obscura que atua como uma agência independente da comunidade de geociência. Vinte e sete membros, espalhados pelo mundo, se comprometeram a se dedicar à *perpetuação da lembrança*, especificamente em relação a Alfred Wegener, pioneiro da teoria da deriva continental. Os estatutos requerem discrição, comparecimento às conferências semestrais, certa quantidade de trabalho de campo aplicado e uma razoável paixão pela lista de leituras do clube. Espera-se que todos estejam atualizados com as atividades do Instituto Alfred Wegener para Pesquisa Polar e Marinha na cidade de Bremerhaven, na Baixa Saxônia.

Fui admitida como membro do CDC por acaso. De maneira geral, os membros são matemáticos, geólogos e teólogos e não se identificam pelo nome, mas por um determinado número. Eu havia escrito várias cartas ao Instituto Alfred Wegener em busca de um herdeiro vivo, na esperança de obter permissão para fotografar as botas do grande explorador. Uma de minhas cartas foi remetida à secretária do Continental Drift Club, e depois de uma série de correspondências fui convidada para a conferência deles de 2005 em Bremen, que coincidia com o aniversário de 125 anos do nascimento do grande geocientista, e de 75 anos de sua morte. Compareci ao painel de debates do clube, uma exibição especial no cinema City 46 de *Research and Adventure on the Ice*, uma série de documentários contendo raras imagens das expedições de Wegener de 1929 e 1930, e os acompanhei numa visita particular às instalações do Instituto Alfred Wegener, perto de Bremerhaven. Com certeza eu não atendia aos critérios da entidade, mas desconfio que depois de alguma deliberação eles me admitiram por conta do meu abundante entusiasmo romântico. Me tornei membro oficial em 2006, tendo o número 23 atribuído a mim.

Em 2007, nos reunimos em Reykjavík, a maior cidade da Islândia. O entusiasmo era grande, pois naquele ano alguns membros haviam planejado seguir para a Groenlândia em uma expedição do CDC. Eles organizaram um grupo de busca para localizar a cruz colocada em memória a Wegener por seu irmão Kurt em 1931. A cruz fora construída com bastões de ferro de cerca de seis metros de altura, marcando o local de descanso do cientista, a mais ou menos 180 quilômetros da orla ocidental do acampamento em Eismitte, onde seus companheiros o viram pela última vez. Na época a localização era desconhecida. Eu queria ter ido, pois sabia que a grande cruz, onde quer que fosse encontrada, inspiraria uma fotografia extraordinária, mas não tinha a constituição física exigida para tal empreendimento. Mesmo assim continuei na Islândia, pois o Número 18, um grão-mestre grandalhão islandês, havia me surpreendido com um convite para presidir em seu lugar uma partida de xadrez local bastante aguardada. Se eu aceitasse, ele poderia ingressar na expedição no interior da Groenlândia. Em troca, haviam me prometido três noites no Hótel Borg e permissão para fotografar a mesa utilizada na partida de xadrez de 1972 entre Bobby Fischer e Boris Spassky, atualmente abandonada no porão de um prédio do governo local. Fiquei um tanto apreensiva com a ideia de monitorar a partida, tendo em conta que meu amor pelo xadrez é puramente estético. Mas a oportunidade de fotografar o Santo Graal do xadrez moderno era um prêmio de consolação bom o bastante para ficar por lá.

Na tarde do dia seguinte, cheguei com minha câmera Polaroid no momento em que a mesa era entregue sem nenhuma cerimônia no local da competição. Era uma mesa de aparência bem modesta, mas havia sido assinada pelos dois grandes jogadores de xadrez. No final das contas, minha tarefa era realmente bem simples; tratava-se de um torneio júnior e eu era figura meramente

decorativa. O vencedor do torneio foi uma garota de treze anos com cabelo dourado. Nosso grupo foi fotografado, e depois disso me concederam quinze minutos para fotografar a mesa, infelizmente banhada em luz fluorescente, nada fotogênica. Nossa foto saiu bem melhor e foi capa do jornal matinal, com destaque para a famosa mesa. Depois do café da manhã fui fazer um passeio no campo com um velho amigo, onde cavalgamos robustos pôneis islandeses. O dele era branco e o meu era preto, como dois cavalos num tabuleiro de xadrez.

Quando voltei, recebi uma ligação de um homem se identificando como guarda-costas de Bobby Fischer. Ele havia sido encarregado de marcar um encontro entre mim e o sr. Fischer no salão de jantar fechado do Hôtel Borg à meia-noite. Eu deveria levar o meu guarda-costas e estava proibida de falar sobre xadrez. Aceitei as condições e em seguida atravessei a praça e fui até o

Club NASA, onde recrutei o chefe do setor técnico, um sujeito confiável chamado Skills, para posar como meu guarda-costas.

Bobby Fischer chegou à meia-noite, com um casaco escuro com capuz. Skills também usava um casaco com capuz. O guarda-costas de Bobby era mais alto que todos nós. Ele ficou esperando ao lado de Skills no salão de jantar. Bobby escolheu uma mesa de canto e nos sentamos frente a frente. Ele começou a me testar de imediato com uma torrente de referências obscenas e repugnantemente racistas, que se transformou em um discurso paranoico e conspiratório.

— Olha, você está perdendo o seu tempo — falei. — Eu posso ser tão repugnante quanto você, só que em assuntos diferentes.

Ele ficou me olhando em silêncio, e afinal tirou o capuz.

— Você conhece alguma música do Buddy Holly? — ele perguntou.

Ficamos ali algumas horas cantando músicas. Às vezes em separado, às vezes juntos, lembrando parte das letras. A certa altura ele tentou cantar o refrão de "Big Girls Don't Cry" em falsete e o guarda-costas entrou todo agitado.

— Está tudo bem, senhor?

— Tudo — respondeu Bobby.

— Achei que tinha ouvido alguma coisa estranha.

— Eu estava cantando.

— Cantando?

— Sim, cantando.

E esse foi meu encontro com Bobby Fischer, um dos maiores jogadores de xadrez do século XX. Ele levantou o capuz e foi embora pouco antes dos primeiros raios de sol. Fiquei ali até os funcionários chegarem para preparar o bufê do café da manhã. Enquanto olhava para a cadeira vazia, imaginei membros do Continental Drift Club ainda dormindo em suas camas, ou sem conseguirem dormir, de tanta emoção e ansiedade. Em algumas horas eles se levantariam e embarcariam para o gelado interior da Groenlândia em busca da memória na forma da grande cruz. Enquanto as pesadas cortinas eram abertas e a luz da manhã inundava o pequeno refeitório, me ocorreu que de fato às vezes eclipsamos nossos sonhos com a realidade.

Bisões, Zoologischer Garten, Berlim.

Biscoitos em forma de animais

Cheguei tarde ao Café 'Ino. Minha mesa no canto estava ocupada e um rabugento sentimento de posse me fez ir ao banheiro e esperar. O banheiro era estreito e iluminado a velas, com umas poucas flores naturais em um vasinho na bancada da pia. Assim como uma capelinha mexicana, um lugar onde se podia mijar sem se sentir blasfemo. Deixei a porta destrancada para o caso de alguém precisar usá-lo de verdade, esperei uns dez minutos, saí e encontrei minha mesa livre. Limpei a superfície e pedi café preto, torrada de pão integral e azeite. Fiz algumas anotações em guardanapos para minha futura palestra, depois fiquei sonhando acordada com os anjos de *Asas do desejo*. Como seria maravilhoso encontrar um anjo, matutei, mas logo percebi que já tinha encontrado. Não um arcanjo como são Miguel, mas meu anjo humano de Detroit, de sobretudo e sem chapéu, com cabelo castanho liso e olhos cor de água.

Minha viagem à Alemanha foi corriqueira, a não ser por um agente de segurança no aeroporto de Newark Liberty que não identificou minha Polaroid 1967 como uma câmera, resultando na perda de vários minutos em busca de traços de explosivos e exames olfativos no ar estagnado do fole. Uma voz feminina genérica repetia as mesmas instruções monótonas por todo o aeroporto. *Comuniquem qualquer comportamento suspeito. Comuniquem qualquer comportamento suspeito.* Quando me aproximava do portão, a voz de outra mulher sobrepujou àquela.

— Somos um país de espiões — gritou a voz —, todos espionando uns aos outros. Antes nós ajudávamos uns aos outros! Nós éramos simpáticos!

Ela levava uma sacola de lona desbotada. Parecia empoeirada, como se tivesse saído das vísceras de uma fundição. Quando deixou a sacola no chão e se afastou, os passageiros pareceram visivelmente perturbados.

No avião, assisti a vários episódios da série policial dinamarquesa *Forbrydelsen*, que serviu de modelo para a série norte-americana *The Killing*. A detetive Sarah Lund é o protótipo dinamarquês da detetive Sarah Linden. Ambas são mulheres singulares, as duas usam suéteres de crochê. O de Lund ressalta suas curvas. O de Linden é folgado, mas ela o usa como um colete moral. Lund é motivada pela ambição. A natureza obsessiva de Linden tem a ver com sua humanidade. Sinto intensamente sua dedicação a cada terrível missão, sua retidão moral, suas corridas solitárias pela relva alta dos campos pantanosos. Sonolenta, acompanho Lund pelas legendas, mas meu subconsciente me remete a Linden: apesar de ser uma personagem de uma série de televisão, ela me é mais querida que a maioria das pessoas. Fico esperando por ela toda semana, temendo em silêncio o dia em que *The Killing* acabará e eu nunca mais a verei.

Acompanho Sarah Lund, mas sonho com Sarah Linden. Acordo com o final abrupto de *Forbrydelsen* e olho para a tela em branco do meu player pessoal antes de passar inconsciente para uma sala de interrogatório onde um fluxo de relatórios e tocaias e estranhos arcos se esvaziam na fumaça bruta do isolamento.

Meu hotel em Berlim ficava num edifício reformado da Bauhaus no bairro do Mitte, na antiga Berlim Oriental. Tinha tudo o que eu precisava e ficava nas proximidades do café Pasternak, que eu havia descoberto numa visita anterior, no auge de uma obsessão por *O mestre e Margarida* de Mikhail Bulgákov. Deixei minhas malas no quarto e fui direto para o café. A proprietária me recebeu calorosamente e me sentei à mesma mesa debaixo de uma foto de Bulgákov. Como da vez anterior, fui envolvida pelo velho encanto mundano do Pasternak. As paredes azul-claras eram forradas de fotografias dos adora-

dos poetas russos Anna Akhmátova e Vladímir Maiakóvski. No peitoril da janela à minha direita havia uma velha máquina de escrever russa com suas teclas cirílicas arredondadas, um par perfeito para minha solitária Remington. Pedi o Tsar Feliz — caviar de esturjão preto servido com uma dose de vodca e um copo de café puro. Satisfeita, fiquei por um tempo planejando minha palestra em guardanapos, depois fui caminhar num pequeno parque no centro, com a caixa-d'água mais antiga da cidade emergindo no meio dele.

No dia da minha palestra, acordei cedo e pedi café, suco de melancia e torradas de pão integral no quarto. Eu não tinha planejado toda minha palestra, tendo deixado uma seção em aberto para a improvisação e os caprichos do destino. Atravessei a grande avenida à esquerda do hotel e passei por um portão recoberto de hera, na esperança de poder meditar sobre o futuro evento na igrejinha de santa Maria e são Nicolau. A igreja estava fechada, mas encontrei um enclave isolado com a estátua de um garoto pegando uma rosa aos pés da Madona. Ambos mostravam uma expressividade invejável, a pele de mármore desgastada pelos anos e pelo clima. Tirei várias fotos do garoto e depois voltei

ao meu quarto, me aninhando na poltrona de veludo, caindo numa pequena região de um sono sem sonhos.

Às seis horas fui levada a um pequeno salão de conferências em um endereço próximo, como Holly Martins em *O terceiro homem*. Nada distinguia nosso salão de reuniões pós-guerra de outros espalhados pela antiga Berlim Oriental. Todos os 27 membros do CDC estavam presentes e o recinto vibrava com um ar de expectativa. Os procedimentos foram abertos com nossa canção-tema, uma melodia leve e melancólica tocada em um acordeão por seu compositor, Número 7, um coveiro da cidade de Gubbio, na região da Úmbria, onde são Francisco domou os lobos. Número 7 não era acadêmico nem músico de formação, mas dispunha da invejável distinção de ser parente distante de um dos membros originais da equipe de Wegener.

Nosso moderador fez suas considerações iniciais, com uma citação de "O favor do momento" de Friedrich Schiller: "Mais uma vez, então, nos encontramos/ Nestes círculos de outrora".

Ele falou bastante a respeito de temas atuais, estudados pelo Instituto Alfred Wegener, em particular sobre o inquietante declínio da extensão das calotas árticas. Depois de algum tempo comecei a divagar e olhei para o lado com inveja de meus colegas, cuja maioria se mostrava realmente fascinada. Enquanto a exposição continuava, minha atenção divagou, tecendo uma história trágica: uma garota de casaco de pele de foca observando indefesa a superfície de gelo rachar, separando-a cruelmente de seu Príncipe Encantado. A garota cai de joelhos enquanto ele se afasta flutuando. A camada de gelo comprometida se vira e ele afunda no mar Ártico montado em seu titubeante pônei branco islandês.

Nossa secretária apresentou as minutas da nossa última reunião em Jena. Em seguida, ela anunciou animada a espécie do mês do Instituto Alfred Wegener: *Sargassum muticum* — uma alga marítima marrom, de origem japonesa, que se destaca pela maneira como é levada pelas correntes marítimas. Disse ainda que nossa requisição para nos associarmos ao instituto e publicarmos suas espécies do mês em um calendário colorido fora negada, o que provocou um gemido coletivo dos entusiastas do calendário. Em seguida, observamos uma breve apresentação de slides do Número 9, com fotografias em cores dos últimos lugares visitados pelo CDC na Alemanha Oriental, o que entusiasmou a plateia com a ideia de usar aquelas imagens em um calendário completamente diferente. Percebi que as palmas das minhas mãos estavam suando, e sem pensar enxuguei-as nas anotações dos meus guardanapos.

Por fim, depois dos meandros da introdução, fui chamada ao púlpito. Infelizmente minha palestra foi apresentada como "Os momentos perdidos de Alfred Wegener". Expliquei que o título era na verdade os últimos momentos, não os momentos perdidos, o que causou uma lufada de contendas semânticas. Fiquei ali com minha pilha de guardanapos amassados observando, enquanto meus confrades expunham as razões por que um título se opunha ao outro. Felizmente nosso moderador apaziguou os ânimos.

O recinto ficou em silêncio. Olhei na direção do estoico retrato de Alfred Wegener em busca de forças. Recontei os eventos que levaram àqueles últimos dias: Com pesar, porém cheio de determinação científica, o grande pesquisador polar saiu de sua adorada casa na primavera de 1930 para liderar uma extenuante e inédita expedição na Groenlândia. Sua missão era coletar dados científicos necessários para provar sua revolucionária hipótese de que os continentes como os conhecemos já haviam sido uma grande massa de terra que se rompera e deslizara até a localização atual. Sua teoria não só foi descartada pela comunidade científica, como também ridicularizada. E seria a pesquisa resultante dessa histórica, ainda que desafortunada expedição, que o acabaria redimindo.

O clima estava extremamente desagradável no final de outubro de 1930. Geadas se formavam como samambaias estreladas no teto da caverna do posto avançado. Alfred Wegener saiu na noite escura. Ele fez um exame de consciência, avaliando a situação em que seus leais colegas se encontravam. Incluindo a si próprio e um fiel guia esquimó chamado Rasmus Villumsen, ao todo eram cinco homens, e havia pouco alimento e suprimentos na estação de Eismitte. Fritz Loewe, que Wegener considerava seu equivalente em conhecimento e liderança, tinha vários dedos do pé congelados e não conseguia mais ficar em pé. Era uma caminhada de quatrocentos quilômetros até a estação de abastecimento mais próxima. Wegener argumentou que ele e Villumsen eram os mais fortes do grupo, que tinham maior probabilidade de sobreviver à longa caminhada, e resolveu partir no Dia de Todos os Santos.

No amanhecer de 1º de novembro, dia em que completava cinquenta anos, Wegener guardou seu precioso caderno de anotações no casaco e partiu, otimista com seus cães e o guia esquimó. Sentia-se forte e percebia a retidão de sua missão. Mas pouco depois, o tempo fechou e a dupla passou a enfrentar um ofuscante vendaval. A neve se acumulava em sucessão de ondas. Era um espetacular turbilhão de luzes. Caminho branco, mar branco, céu branco. O que poderia ser mais límpido do que tal visão? O rosto de sua esposa em uma imaculada moldura oval de gelo? Wegener havia entregado o coração duas vezes, primeiro a ela e depois à ciência. Ele caiu de joelhos. O que teria visto? Que imagens ele poderia ter projetado na tela ártica de Deus?

Meu senso dramático de identificação com Wegener era tal que não notei a semente da discórdia. De repente a validade de minha premissa começou a ser debatida.

— Ele não tropeçou na neve.

— Ele morreu dormindo.

— Não existem provas reais a respeito.

— O guia fez com que ele descansasse.

— Isso é uma conjectura.

— Tudo isso é uma conjectura.

— Não é premissa, é um prognóstico.

— Você não pode projetar uma coisa dessas.

— Isso não é ciência, é poesia.

Fiquei pensando por um momento. O que são a matemática e as teorias científicas se não uma projeção? Me senti como uma palha afundando no rio Spree de Berlim.

Que desastre. Talvez tenha sido a palestra mais polêmica do CDC até o momento.

— Calma, calma — disse o nosso moderador. Acho que chegou a hora de fazer um intervalo; talvez seja melhor bebermos algo.

— Mas não deveríamos ouvir o fim da palestra da 23? — Era o solidário coveiro falando.

Notei que alguns membros já começavam a gravitar na direção das bebidas e logo recuperei minha compostura. Num tom comedido, para chamar a atenção, falei:

— Acho que podemos considerar que os últimos momentos de Alfred Wegener foram perdidos.

A risada estrepitosa superou em muito qualquer esperança de entreter aquela turma indigesta e ameaçadora. Todos se levantaram enquanto eu guardava meus guardanapos amarrotados no bolso e nos retiramos para a sala ao lado. Tomamos um cálice de xerez enquanto nosso moderador fazia algumas considerações finais. Depois, como de hábito, nosso ministro fez uma prece, concluindo em um minuto de silêncio e lembrança.

Havia três vans para levar os membros a seus hotéis. Enquanto todos saíam, a secretária me pediu para assinar o registro.

— Você poderia me dar uma cópia da sua palestra para ser anexada às minutas? As considerações iniciais foram adoráveis.

— Na verdade não há nada escrito — respondi.

— Mas as suas palavras, de onde elas vieram?

— Com certeza eu as colhi do ar.

Ela me lançou um olhar intenso e severo, e disse:

— Bem, então você devia voltar até o ar e retirar alguma coisa para que eu possa incluir nas minutas.

— Eu fiz algumas anotações — repliquei, procurando os guardanapos.

Eu nunca tinha conversado tanto com a nossa secretária. Ela era uma viúva de Liverpool, coerentemente vestida num terno de gabardine escuro e numa blusa estampada de flores. O casaco era de lã marrom-claro, encimado por um chapéu de feltro combinando, preso inclusive com um alfinete especial.

— Tenho uma ideia — falei. — Venha comigo ao café Pasternak. Podemos sentar na minha mesa favorita, sob uma foto de Mikhail Bulgákov. Aí eu digo o que poderia ter dito e você pode anotar.

— Bulgákov! Esplêndido! Eu pago as vodcas. — Sabe de uma coisa — ela acrescentou, postando-se diante de um grande retrato de Wegener apoiado num cavalete —, os dois até que se parecem um pouco.

— Talvez Bulgákov fosse um pouco mais bonito.

— E que escritor!

— Um mestre.

— Sim, um mestre.

Fiquei mais alguns dias em Berlim, revisitando lugares que já conhecia, tirando fotos do que já tinha fotografado. De manhã fazia o desjejum no Café Zoo, na velha estação ferroviária. Eu era a única cliente, e vi um funcionário escovando a silhueta escura familiar de um camelo pela grossa porta de vidro, o que levantou minhas suspeitas. Reforma? Fechamento? Paguei minha conta como que me despedindo e atravessei a rua até o Jardim Zoológico, entrando pelo Portão dos Elefantes. Fiquei em frente aos paquidermes, de alguma forma confortada pela solidez da presença deles. Dois elefantes, muito bem esculpidos em arenito do Elba no final do século xix, ajoelhados tranquilamente, apoiando duas grandes colunas ligadas por uma arcada de cores fortes. Um pouco de Índia, um pouco de Chinatown, dando as boas-vindas ao atônito visitante.

O zoológico também estava vazio, sem turistas ou os habituais escolares. Minha respiração se materializou diante de mim e abotoei o casaco. Havia ali alguns animais, e grandes pássaros com identificações nas asas. Uma névoa súbita envolveu a área. Consegui distinguir girafas pescoceando entre as árvores desfolhadas, flamingos se acasalando na neve. Surgindo de uma inesperada neblina americana, havia cabanas feitas de troncos, totens, bisões em Berlim. Figuras imóveis de bisões europeus, parecendo brinquedos de uma criança gigante. Brinquedos a serem arrancados como biscoitos em forma de animais e guardados em segurança num caixote enfeitado de faixas com alegres trens de circo transportando aardvarks, dodós, velozes dromedários, bebês elefantes e dinossauros de plástico. Uma caixa de metáforas misturadas.

Perguntei por ali se o Café Zoo estava fechando. Ninguém parecia saber que ainda existia. A nova estação ferroviária rebaixara a outrora importante Estação Zoológico, agora pertencente a uma linha férrea regional. As conversas passaram a se referir ao progresso. Em algum lugar na minha memória existia o paradeiro de uma velha receita do Café Zoo com a imagem de um camelo preto. Eu estava cansada. Jantei algo leve no hotel. Assisti a um episódio de *Law & Order: Criminal Intent* dublado em alemão na TV. Desliguei o som e adormeci de casaco.

Na minha última manhã andei até o cemitério de Dorotheenstadt, com seus muros de um quarteirão crivados de balas, uma funesta lembrança da

Segunda Guerra. Passando pelo pórtico de anjos, é possível encontrar sem dificuldade onde Bertolt Brecht está enterrado. Percebi que alguns buracos de balas tinham sido preenchidos com argamassa desde a minha última visita. A temperatura estava despencando e começava a cair uma neve leve. Sentei diante do túmulo de Brecht e cantarolei a canção de ninar que a Mãe Coragem entoa sobre o corpo da filha. Fiquei ali enquanto a neve caía, imaginando Brecht escrever sua peça. O homem nos dá guerra. Uma mãe lucra com isso e paga com a filha; eles caem um a um como pinos de madeira no final de uma pista de boliche.

Quando estava saindo, tirei uma foto de um dos anjos da guarda. O fole da minha câmera estava molhado de neve e por alguma razão ele se amarrotou no lado esquerdo, o que resultou numa mancha preta borrando parte da asa. Tirei outra foto da asa em close-up. Imaginei imprimir aquilo em papel fosco em tamanho bem grande, e depois eu escreveria a letra da canção de ninar na curvatura branca. Fiquei imaginando se aquela letra tinha feito Brecht chorar no momento em que ele torceu o coração da mãe que não era tão sem coração quanto ela nos levou a acreditar. Guardei as fotografias no bolso. Minha mãe era real e o filho dela era real. Quando o filho morreu, ela o enterrou. Agora ela está morta. Mãe Coragem e seus filhos, minha mãe e o filho dela. Tudo isso são histórias agora.

Anjo da guarda, cemitério de Dorotheenstadt.

Ainda relutante em voltar para casa, faço minhas malas e tomo um avião rumo a Londres para fazer minha conexão. Meu voo para Nova York estava atrasado, o que interpretei como um sinal. Fiquei diante do portão de embarque e vi um novo atraso ser anunciado. Impulsivamente, remarquei minha passagem, peguei o Heathrow Express até a estação de Paddington, e de lá tomei um táxi até Covent Garden e me hospedei num hotelzinho querido para assistir a séries policiais.

Meu quarto era bem iluminado e aconchegante, com um pequeno terraço e vista para os telhados de Londres. Pedi um chá e abri meu diário, mas fechei-o imediatamente. Não estou aqui para trabalhar, disse a mim mesma, mas para assistir aos dramas policiais da ITV3, um atrás do outro até tarde da noite. Eu tinha feito isso alguns anos antes no mesmo hotel quando estive doente; noites delirantes dominadas por uma procissão de detetives inspetores clinicamente deprimidos, mal-humorados, beberrões e amantes de ópera.

Para animar a noite assisti a um episódio antigo de *O santo*, com grande prazer em seguir Simon Templar em seu Volvo branco explorando os recantos de Londres e, como sempre, salvando o mundo de um desastre iminente. Dessa vez ao lado de uma loira platinada ingênua de cardigã claro e saia reta, em busca do tio sequestrado — um brilhante professor de bioquímica — que caiu nas garras de um cientista nuclear igualmente brilhante, porém malévolo. Ainda era cedo, por isso assisti a um segundo episódio de *O santo*, com uma loira totalmente diferente em perigo, e depois fui até Charing Cross Road e perambulei pelas livrarias. Comprei uma primeira edição de *Winter Trees*, de Sylvia Plath, e um volume com as peças de Ibsen. Acabei lendo *Solness, o construtor* até tarde da noite diante da lareira, na biblioteca do hotel. Estava um pouco quente e eu cochilava, quando um homem usando um sobretudo de tweed cutucou meu ombro, perguntando se eu seria a jornalista que ele deveria encontrar.

— Não, desculpe.

— Lendo Ibsen?

— Sim. *Solness, o construtor.*

— Hum, uma bela peça, mas carregada de simbolismo.

— Não tinha percebido — falei.

Ele ficou um momento diante do fogo antes de balançar a cabeça e sair. Pessoalmente, não sou muito de simbolismos. Nunca consigo entender. Por que as coisas não podem ser o que são? Nunca pensei em psicanalisar Seymour Glass ou tentar destrinchar "Desolation Row". Só queria desaparecer, me fundir a algum outro lugar, encaixar uma coroa de flores bem no alto da torre de uma igreja simplesmente porque tive vontade.

Voltando ao meu quarto, me agasalhei e tomei um chá na sacada. Depois me acomodei, me entregando a tipos como Morse, Lewis, Frost, Wycliffe e Whitechapel — inspetores detetives cuja natureza temperamental e obsessiva combinava com a minha. Quando eles comiam uma costeleta, eu pedia o mesmo pelo serviço de quarto. Se tomassem um drinque, eu conferia o frigobar. Adotei as atitudes deles, fossem elas completamente envolvidas ou desapaixonadamente distantes.

Entre um programa e outro eram mostradas cenas da muito esperada maratona de *Cracker*, que iria ao ar pela ITV3 na quinta-feira seguinte. Ainda que *Cracker* não fosse uma série de detetive padrão, era uma de minhas favoritas. Robbie Coltrane interpreta Fitz, um psicólogo criminalista boca suja, fumante inveterado, gordo e errático, mas sempre brilhante. A série foi descontinuada algum tempo atrás — o que combina com a má sorte do personagem —, e como raramente é exibida, a oportunidade de assistir a 24 horas de *Cracker* era uma tentação. Pensei em ficar por ali mais alguns dias, mas isso não seria muito louco? Não mais maluco do que ter vindo até aqui, apita minha consciência. Acabo me contentando com as generosas chamadas, tão incansavelmente promovidas que consigo até juntar a projeção de um episódio inteiro.

Durante um intervalo entre *Detective Frost* e *Whitechapel*, resolvo tomar um último cálice de Porto no honesto bar adjacente à biblioteca. Enquanto espero o elevador, de repente sinto uma presença ao meu lado. Nos viramos no mesmo instante e olhamos um para o outro. Fiquei espantada ao encontrar Robbie Coltrane, como que atendendo a um desejo, alguns dias antes da maratona de *Cracker*.

— Estive esperando você a semana toda — falei de forma impetuosa.

— Pois aqui estou eu — ele respondeu, sorrindo.

Fiquei tão abalada que não entrei com ele no elevador e voltei ao meu quarto, que pareceu totalmente transformado, ainda que de forma sutil, como se eu tivesse sido atraída para os aposentos paralelos de um gênio que gostava de tomar chá.

— Dá pra imaginar as probabilidades de um encontro desses? — pergunto para minha colcha de estampa floral.

— Consideradas as circunstâncias, a probabilidade era grande. Mas na verdade você deveria ter invocado o John Barrymore.

Uma sugestão valiosa, mas não tive vontade de dar continuidade àquele diálogo. Ao contrário de um controle remoto, é literalmente impossível desligar uma colcha estampada.

Conferi o frigobar e me decidi por uma água aromatizada com baga de sabugueiro e pipoca doce e salgada. Hesitei em ligar a televisão de novo, pois tinha certeza que ficaria diante de um close do rosto de Fitz em um sombrio estupor alcoólico. Imaginei se Robbie Coltrane estaria no bar. Cheguei a pensar em descer para espiar, mas preferi reorganizar meus pertences, que estavam amarfanhados na minha pequena valise. Na pressa espetei o dedo e fiquei admirada ao descobrir o alfinete de chapéu com a extremidade de pérola da secretária do CDC enfiado no meio de minhas camisetas e suéteres. Tinha uma tonalidade cinza iridescente e era amorfa — mais para lágrima do que para pérola. Examinei-a sob a luz do abajur e embrulhei o alfinete num lencinho de linho brocado de florzinhas brancas, presente da minha filha.

Rememorei nosso último diálogo na porta do Pasternak. Tínhamos tomado algumas doses de vodca. Não consegui lembrar nada que envolvesse o alfinete de chapéu.

— Para onde você acha que a bússola aponta o nosso próximo encontro? — perguntei.

A secretária pareceu evasiva e achei melhor não insistir. Ela remexeu na bolsa e me deu uma fotografia colorida à mão com o nome do clube. Era do tamanho e do mesmo formato de um santinho.

— Por que você acha que nos reunimos em memória do sr. Wegener? — perguntei.

— Ora, é pela sra. Wegener — ela respondeu sem hesitar.

Como se tivesse me seguido desde Berlim, uma névoa pesada caiu sobre Monmouth Street. Do meu pequeno terraço testemunhei o momento em que as cortinas de nuvens desceram ao solo. Eu nunca tinha visto uma coisa assim, e lamentei estar sem filme para minha câmera. Por outro lado, pude vivenciar aquele momento completamente desobrigada. Vesti meu sobretudo e me virei para me despedir do meu quarto. Desci e tomei um café preto com arenque e torrada de pão integral. Meu carro estava esperando. Meu motorista usava óculos escuros.

A névoa ficou mais pesada, uma verdadeira neblina envolvendo tudo por onde passávamos. E se de repente tudo tivesse desaparecido quando ela se dissipasse? A coluna do Lorde Nelson, o Kensington Gardens, a imponente roda-gigante perto do rio, o bosque e a charneca. Tudo desaparecendo na atmosfera prateada de um interminável conto de fadas. O trajeto até o aeroporto pareceu sem fim. Os contornos das árvores desfolhadas quase invisíveis, como uma ilustração de um livro de histórias infantis inglês. Os braços desnudos evocando outras paisagens: Pensilvânia, Tennessee e a avenida de plátanos de Jesus Green. O Zentralfriedhof em Viena, onde Harry Lime foi enterrado, e o cemitério de Montparnasse onde árvores desenhadas alinham os caminhos de um túmulo a outro. Plátanos com pompons, sementes ressecadas, fantasmas dançantes de enfeites de Natal. Era bem possível imaginar um século atrás, quando um jovem escocês, vivendo em tal atmosfera de nuvens baixas e névoa cintilante, lhe deu o nome de Terra do Nunca.

Meu motorista soltou um suspiro profundo. Fiquei pensando se meu voo iria atrasar, mas isso não fazia diferença. Ninguém sabia onde eu estava. Ninguém estava à minha espera. Não me importava estar rastejando lentamente pela neblina num táxi inglês, preto como meu casaco, flanqueado pelo contorno de árvores trêmulas, como que desenhadas apressadamente pela mão póstuma de Arthur Rackham.

A pulga tira sangue

Quando voltei a Nova York eu já havia esquecido por que tinha partido. Tentei retomar minha rotina diária, mas me senti perturbada de uma forma incomumente opressiva pela diferença de fuso horário. Um torpor espesso combinado com uma surpreendente luminosidade interna me dava a impressão de ter sido acometida por uma moléstia numinosa transmitida pela neblina de Berlim ou de Londres. Meus sonhos pareciam cenas tiradas de *Quando fala o coração*: colunas se liquefazendo, árvores distorcidas e teoremas irredutíveis girando num redemoinho de clima eletrizante. Reconhecendo as possibilidades poéticas dessa aflição temporária, tentei uma exploração interior, percorrendo minha neblina interna em busca de criaturas elementais ou da lebre de alguma religião selvagem. Mas fui recebida por cartas de baralho sem rosto, articulando com a boca nada que valesse ser preservado e nenhum vaqueiro jogando o laço. Não deu sorte. Minhas mãos estão tão vazias quanto as páginas do meu diário. *Não é tão fácil escrever sobre nada*. Palavras colhidas na narrativa de um sonho mais evocativo que a vida. *Não é tão fácil escrever sobre nada*: rabisco essas palavras muitas vezes numa parede branca com um pedaço de giz vermelho.

Pôr do sol, sirvo a refeição noturna dos gatos, visto o casaco e espero na esquina até a luz mudar. Ruas vazias, alguns carros: vermelhos, azuis, e um táxi amarelo, cores primárias saturadas pela última luz filtrada a frio. Frases me sobrevoam como se escritas no céu por pequenos bimotores. *Reabasteça sua medula. Deixe os bolsos preparados. Espere pela queima lenta.* Frases de detetive me trazendo à mente o tom grave de canto de boca de William Burroughs. Naquela travessia, fico pensando como William decifraria a linguagem da minha disposição atual. Houve um tempo em que eu poderia simplesmente pegar o telefone e perguntar a ele, mas agora preciso evocá-lo de outras formas.

O 'Ino está vazio, cheguei antes do movimento noturno. Não é minha hora habitual, mas sento à minha mesa de sempre e tomo uma sopa de feijão--branco e café preto. Abro o meu caderno pensando em escrever alguma coisa sobre William, mas a sequência de cenas e dos rostos que as habitam resultam num silêncio paralisante; transmissores de sabedoria com quem tive o privilégio de comungar. Beats já ausentes que conduziram minha geração a uma revolução cultural, embora seja a voz distinta de William que fale comigo agora. Posso ouvi-lo elucubrando sobre a insidiosa invasão da Agência Central de Inteligência na nossa vida cotidiana ou sobre a isca perfeita para pescar um picão-verde em Minnesota.

A última vez que o vi foi em Lawrence, no Kansas. Morando numa casa modesta com seus gatos, seus livros, uma espingarda e um armário de medicamentos portátil de madeira trancado. Ele estava em frente à máquina de escrever; aquela com a fita tão gasta que às vezes só deixava impressões das palavras na página. Tinha um lago em miniatura com dardejantes peixes vermelhos e um arranjo de latinhas alinhadas no quintal. Ele gostava de praticar tiro ao alvo e ainda era um grande atirador. Deixei intencionalmente minha câmera no estojo e fiquei observando em silêncio enquanto ele fazia mira. Ele já estava vergado e ressequido, mas continuava bonito. Olhei para a cama onde dormia e vi as cortinas do quarto se agitarem levemente. Antes de me despedir ficamos juntos diante de uma cópia em miniatura de *O fantasma de uma pulga*, de William Blake. Era a imagem de um ser reptiliano com a espinha curvada, mas ainda forte, marcada por escamas douradas.

— É assim que eu me sinto — disse ele.

Eu estava abotoando o casaco. Queria perguntar por quê, mas não falei nada.

O fantasma de uma pulga. O que William estava me dizendo? Meu café esfriou, gesticulo pedindo outro, esboçando possíveis respostas antes de riscá-las abruptamente. Prefiro seguir a sombra de William perambulando por uma casbá sinuosa banhada em imagens tremeluzentes de artrópodes soltos. William, o exterminador, atraído por um inseto singular cuja consciência é tão altamente concentrada que domina a própria consciência.

A pulga tira sangue, depositando também. Mas não é um sangue comum. O que os patologistas chamam de sangue é também uma substância de libertação. Um patologista o examina de forma científica, mas e o escritor, o detetive da visualização, que não vê apenas sangue, mas também as palavras borrifadas? Ah, a atividade nesse sangue, as observações perdidas para Deus. Mas o que Deus faz com elas? Serão arquivadas em alguma biblioteca sagrada? Volumes ilustrados por instantâneos obscuros tomados por uma empoeirada máquina-caixão? Um sistema rotativo de instantâneos indistintos porém familiares se projetando em todas as direções: um esmaecido jovem baterista vestido de branco, estações em tom sépia, camisas engomadas, pedaços de capricho, rolos carmesins desbotados, closes de soldados estirados na terra úmida, encolhidos como folhas fosforescentes ao redor da haste de um cachimbo chinês.

O garoto vestido de branco. De onde ele saiu? Eu não o criei, foi inspirado em alguma coisa. Partindo para um terceiro café, encerro minhas anotações sobre William, deixo um dinheiro na mesa e sigo para casa. A resposta está num livro em algum lugar, na minha própria e abençoada biblioteca. Ainda de casaco, reviro minhas pilhas de livros, tentando não me distrair ou ser atraída para outra dimensão. Finjo não notar *After-Dinner Declarations*, de Nicanor Parra, e *Cartas da Islândia*, de Auden. Abro por um momento *The Petting Zoo*, de Jim Carroll, essencial para qualquer um em busca de um delírio concreto, mas fecho o livro imediatamente. Desculpe, digo a todos eles, não posso revisitar vocês agora, está na hora da internalização.

Quando desencavo *After Nature*, de W. G. Sebald, me ocorre que a imagem do garoto de branco está na capa de seu *Austerlitz*. Muito impressionante, a figura me atraiu ao livro e me apresentou a Sebald. Mistério resolvido, abandono minha busca e abro *After Nature*, ansiosa. Houve uma época em que os três longos poemas desse livro fininho tinham um efeito tão profundo em mim que mal aguentava lê-los. Nem sequer entrava naquele mundo e era transportada a uma miríade de outros universos. Evidências de tais transportes encontram-se abarrotadas nas guardas do livro e também numa declaração que tive a insolência de rabiscar numa margem: "Posso não saber o que existe na sua cabeça, mas sei como sua cabeça funciona".

Max Sebald! Agachado na terra molhada examinando um bastão recurvado. O cajado de um ancião ou um humilde galho transformado pela saliva de um cão fiel? Ele vê, não com os olhos, mas ainda assim vê. Reconhece as vozes no silêncio, história nos limites do espaço negativo. Evoca ancestrais que não são ancestrais com tal precisão que os fios dourados de uma manga brocada são tão familiares quanto suas calças empoeiradas.

Imagens penduradas para secar num varal que se estende ao redor de um globo enorme: o avesso do retábulo de Ghent, uma página solitária arrancada de um fascinante livro ilustrando uma samambaia extinta mas ainda magnífica, um mapa em pele de cabra de Gotthard Pass, a pelagem de uma raposa abatida. Ele retrata o mundo em 1527. Apresenta um homem — o pintor Matthias Grünewald. O filho, o sacrifício, as grandes obras. Acreditamos que isso vai continuar para sempre, mas surge um rasgo abrupto no tempo, a morte de tudo. O pintor, o filho, as pinceladas, tudo retrocede, sem música, sem fanfarra, apenas uma súbita e distinta ausência de cor.

Que entorpecente é esse livrinho; absorvê-lo é presumir o processo do autor. Eu leio e sinto a mesma compulsão; o desejo de possuir o que ele escreveu, o que só pode ser conquistado escrevendo-o eu mesma. Não é mera inveja, mas uma aceleração ilusória no sangue. Logo abstraído, o livro escorrega do meu colo e eu parto, distraída pelo andar resoluto de um jovem entregando pães.

Ele abaixa a cabeça. Como aprendiz do pai, seu destino está decidido, e não há nada a fazer senão o seguir. Assando o pão, mas sonhando com música. Uma noite ele se levanta enquanto o pai dorme. Embrulha um pão e o guarda num saco e rouba as botas do pai. Em êxtase, distancia-se de sua aldeia. Atravessa grandes planícies, penetra nas florestas hindus e escala os picos brancos. Viaja até desabar quase morrendo de fome numa praça onde uma benevolente mulher, viúva de um famoso violinista, o salva. Agradecido, ele se faz útil. Uma noite o jovem a observa enquanto dorme. Ele sente o precioso violino do marido enterrado no fundo da memória dela. Cobiçando-o intensamente, ele abre a fechadura dos sonhos com um grampo dos cabelos dela. Encontra a caixa escondida e segura triunfante o instrumento com as duas mãos.

Volto a guardar *After Nature* na prateleira, na segurança de muitos portais do mundo. Eles flutuam por estas páginas geralmente sem explicação. Escritores e seus processos. Escritores e seus livros. Não posso supor que o leitor conhecerá todos eles, mas afinal será que o leitor me conhece? Será que o leitor deseja isso? Só posso almejar isso, enquanto ofereço meu mundo numa bandeja cheia de ilusões. Como a oferecida pelo urso empalhado na casa de Tolstói, uma bandeja oval que já transbordou nomes de visitantes, infames e obscuros, pequenas *cartes de visite*, muitos entre tantos.

Urso de Tolstói, Moscou.

Um figo podre

Em Michigan eu me tornei uma bebedora solitária, pois Fred nunca tomava café. Minha mãe tinha me dado um bule que era uma versão menor do dela. Quantas vezes a vi colocar os grãos da lata vermelha de Eight O'Clock Coffee no recipiente de metal do coador, esperando pacientemente o café coar perto do fogão? Minha mãe, sentada à mesa da cozinha, a fumaça subindo de sua xícara misturando-se à fumaça ondulante do cigarro descansando no cinzeiro sempre lascado. Minha mãe e seu avental azul florido, sem chinelos nos longos pés descalços idênticos aos meus.

Preparei meu café no bule dela e me sentei para escrever a uma mesinha dobrável perto da porta de tela. Havia uma fotografia de Albert Camus pendurada perto do interruptor de luz. Um retrato clássico de Camus de sobretudo pesado com um cigarro entre os lábios, como um jovem Bogart, numa moldura de cerâmica feita por meu filho Jackson. Coberta por um esmalte verde com as bordas internas dentadas feito a boca aberta de um robô hostil. A moldura não tem vidro e a imagem descoloriu com os anos. Meu filho, vendo a foto todos os dias, achava que Camus era um tio que morava bem distante. De vez em quando eu olhava para ele enquanto escrevia. Escrevia sobre um viajante que não viajava. Escrevia sobre uma garota em fuga cujo apelido era Santa Luzia, simbolizada pela imagem de dois olhos sobre uma bandeja. Sempre que eu fritava dois ovos, pensava nela.

Morávamos numa velha casa de campo feita de pedra em um canal que desaguava no rio Saint Clair. Não havia cafés aonde se pudesse ir a pé. Meu único refúgio era uma máquina de café na 7-Eleven. Nas manhãs de sábado eu acordava cedo e andava quase meio quilômetro até a 7-Eleven por um café preto grande e um donut glaceado. Depois fazia uma parada no terreno atrás da loja de artigos de pesca, uma construção de cimento lavado. Para mim parecia Tânger, ainda que eu nunca tivesse estado lá. Eu ficava num canto, rodeada de paredes brancas e baixas, protelando o tempo real, livre para percorrer a suave ponte que ligava passado e presente. Meu Marrocos. Eu seguia o trem que quisesse. Escrevia sem escrever — sobre espíritos e malandros e viajantes míticos, minha *vagabondia*. Depois voltava para casa, feliz e contente, para retomar minhas tarefas diárias. Até hoje, depois de já ao menos ter estado em Tânger, meu lugar atrás da loja de iscas parece o verdadeiro Marrocos na minha lembrança.

Michigan. Eram tempos místicos. Uma época de pequenos prazeres. Quando uma pera surgia no galho de uma árvore e caía aos meus pés e me alimentava. Agora não tenho árvores, nem berço nem varal. Há rascunhos de manuscritos espalhados pelo chão, caídos da beira da cama durante a noite. Há telas inconclusas afixadas na parede e um aroma de eucalipto que não consegue encobrir o enjoativo cheiro de terebintina e óleo de linhaça. Há antigas gotas de cádmio vermelho manchando a pia do banheiro — atingindo a borda do rodapé — e borrões na parede onde o pincel escapou. Basta entrar no espaço de vivência para sentir a centralidade do trabalho em uma vida. Copos de papel de café meio vazios. Sanduíches de balcão meio comidos. Um prato de sopa encrostado. Eis aqui alegria e abandono. Um pouco de mescal. Uma pequena masturbação, mas na maior parte só trabalho.

— É assim que eu vivo — fico pensando.

Eu sabia que a lua acabaria aparecendo na minha claraboia, mas eu não podia esperar. Me recordo de uma escuridão confortável, como quando a camareira entra num quarto de hotel, arruma a cama e fecha as cortinas. Me rendi a ondas de sono, selecionando as oferendas de uma misteriosa caixa de chocolates, camada por camada. Acordei assustada por alguma razão, com uma dor vívida que percorria meus braços. Como um aperto, mas permaneci calma. Relâmpagos coruscavam perto da claraboia, seguidos de um trovão grave e uma chuva causticante. É apenas uma tempestade, falei meio em voz alta. Eu estava sonhando com os mortos. Mas quais mortos? Folhas de sangue me cobriam. Flores brancas caíam e cobriam as folhas vermelhas. Levantei a cabeça e olhei para o relógio digital do videocassete que raramente uso, incapaz de lembrar a cadeia de comandos necessária para fazer o aparelho funcionar: cinco da manhã. Tive uma rápida lembrança da longa cena do táxi no filme *De olhos bem fechados*. Um desconfortável Tom Cruise apanhado no fluxo do tempo real. No que Kubrick estava pensando? Pensando que o tempo real no cinema é a única esperança da arte. Estava pensando sobre como Orson Welles fez Rita Hayworth cortar e descolorir suas famosas madeixas ruivas para *A dama de Shanghai*.

Cairo regurgitava uma bola de pelo. Levantei e tomei um pouco de água, ela pulou na cama e veio dormir ao meu lado. Meus sonhos mudaram. Julgamentos de uma pessoa que eu não conhecia perdidos em um labirinto de corredores formados por imensos arquivos de *Brazil* — o filme, não o país. Meio que acordei, tateei embaixo da cama procurando minhas meias, mas só encontrei um chinelo perdido. Depois de limpar resquícios do vômito da gatinha, desci descalça, pisando num sapo de borracha se desfazendo, e passei um desproporcional período de tempo preparando o desjejum dos felinos. A pequena abissínia andando em círculos, o mais velho e mais inteligente fitando a cuia de comida, e um gatão enorme, sempre ali por perto, atento a cada movimento meu. Enxaguei as vasilhas de água, as enchi com água filtrada, escolhi uns pires personalizados de uma pilha descombinada e medi a comida com todo cuidado. Eles pareciam mais desconfiados do que agradecidos.

O café estava vazio, mas o cozinheiro estava desparafusando o assento da minha cadeira. Levei meu livro para o banheiro e fiquei lendo enquanto ele terminava. Quando saí, o cozinheiro não estava mais lá, mas uma mulher estava pronta para ocupar meu lugar.

— Desculpe, essa é a minha mesa.

— Está reservada?

— Bem, não, mas é a minha mesa.

— Você está mesmo sentada aqui? Porque não tem nada seu na mesa e você está de casaco.

Fiquei ali parada sem dizer nada. Se isso fosse um episódio de *Midsomer Murders*, com certeza ela apareceria estrangulada num barranco atrás de uma paróquia abandonada. Dei de ombros e fui sentar em outra mesa, na esperança de que saísse logo. A mulher falava alto, pediu ovos Benedict e café gelado com leite desnatado, sem sequer consultar o cardápio.

Ela vai sair, pensei. Mas a mulher não saía. Ela largou sua bolsa gigante e vermelha de pele de lagarto na minha mesa e fez inúmeras ligações pelo celular. Não havia como escapar de suas odiosas conversas, obcecadas em seguir o número de uma encomenda extraviada pela FedEx. Sentei e fiquei olhando a pesada caneca de café com creme. Se fosse um episódio de *Luther*, ela seria encontrada de cara na neve com os objetos de sua bolsa em torno dela: um halo corporal como o de Nossa Senhora de Guadalupe.

— *Que pensamentos mais sombrios por causa de uma mesa de canto.* — Meu Grilo Falante interno se manifestando.

— Ah, tudo bem — falei. — Que as pequenas coisas do mundo a encham de alegria.

— Muito bem, muito bem — disse o Grilo.

— E que ela compre um bilhete de loteria com o número vencedor.

— Desnecessário, mas tudo bem.

— E que encomende mil bolsas iguais, uma mais esplêndida que a outra, entregues via FedEx, e que ela fique presa dentro de um almoxarifado, sem comida, sem água e sem celular.

— Eu vou embora — disse minha consciência.

— Eu também — concordei, e fui para a rua.

Caminhões de entrega estavam estacionados na pequena Bedford Street. As britadeiras do departamento de águas andavam em busca de um cano principal perto da Father Demo Square. Atravessei para a Broadway e segui para o norte até a rua 25 em direção à Catedral Ortodoxa Sérvia, dedicada a são Sava, o santo padroeiro dos sérvios. Como já havia feito muitas vezes, parei para visitar o busto de Nikola Tesla, o santo padroeiro da corrente alternada, postado fora da igreja como uma sentinela solitária. Fiquei olhando enquanto um caminhão da empresa de energia Con Edison parou bem à vista. Que falta de respeito, pensei.

— E você acha que tem problemas — ele me disse.

— Todas as correntes levam à sua pessoa, sr. Tesla.

— *Hvala!* Posso ajudar em alguma coisa?

— Ah, eu estou tendo problemas para escrever. Fico alternando entre a letargia e a agitação.

— Uma pena. Talvez você devesse entrar e acender uma vela para são Sava. Ele acalma o mar para navios.

— É, talvez. Eu estou desequilibrada, não sei o que está errado.

— Você perdeu a alegria — replicou Tesla sem hesitar. — Sem alegria estamos todos mortos.

— E como posso reencontrá-la?

— Ache aqueles que a têm e banhe-se em sua perfeição.

— Obrigada, sr. Tesla. Posso ajudar em alguma coisa?

— Sim — ele respondeu. — Pode ir um pouco para a esquerda? Você está bloqueando minha luz.

Vagando por algumas horas procurando por referências que não mais existem. Lojas de penhores, lanchonetes, pensões ausentes. Algumas mudanças em torno do Flatiron Building, mas o prédio ainda está lá. Entrei em êxtase do mesmo jeito que fiquei em 1963, saudando seu criador, Daniel Burnham. Levou só um ano para construir aquela obra-prima de base triangular. A caminho de casa, parei para um pedaço de pizza. Fiquei me perguntando se foi o formato triangular do Flatiron Building que me deu vontade de comer pizza. Peguei um café para viagem, que derramou na parte da frente do meu casaco, pois a tampa não estava bem fixada.

Quando entrei no Washington Square Park, um garoto cutucou meu ombro. Eu me virei, ele sorriu e me entregou uma meia. Eu a reconheci imediatamente. Uma meia de algodão marrom-clara com uma borboleta dourada bordada no punho. Tenho vários pares dessas meias, mas de onde tinha vindo aquela? Olhei para suas colegas tendo um acesso de riso — duas garotas de doze ou treze anos. Sem dúvida era uma das meias do dia anterior que ficara presa na perna da minha calça e escorregara para o chão. Obrigada, murmurei, guardando a meia no bolso.

Ao me aproximar do Caffè Dante, avistei os murais de Florença pela grande vitrine. Ainda não estava pronta para ir pra casa, por isso entrei e pedi um chá de camomila egípcio. Ele chegou em um bule de vidro com pedacinhos de flores douradas flutuando ao fundo. Flores cobrindo os mortos onde eles jaziam, como um verso de uma velha balada sobre assassinato. Afinal localizei de onde as imagens do meu sonho matinal poderiam ter vindo — da Batalha de Shiloh, na Guerra Civil. Milhares de jovens soldados mortos no campo de batalha em um pomar de pêssegos em plena florada. Dizia-se que as flores caíram sobre eles, cobrindo-os como uma fina camada de neve perfumada. Matutei sobre a razão de ter sonhado com aquilo, mas, até aí, por que sonhamos com qualquer coisa?

Fiquei ali por um longo tempo tomando chá e ouvindo rádio. Felizmente parecia haver um humano de verdade escolhendo as músicas, com distanciamento e abandono. Uma versão de "White Wedding" com uma banda punk hardcore sérvia, depois Neil Young cantando *No one wins; it's a war of man*. Neil está certo, ninguém vence nada; vencer é uma ilusão, isso é certo. O sol estava se pondo. Para onde o dia havia se escoado? De repente me lembrei de uma vez em que Fred encontrou um pequeno toca-discos portátil no armário de uma cabana em que entramos no norte de Michigan. Quando abrimos havia um single de "Radar Love" no prato. Um tema de amor telepático do Golden Earring que parecia falar de nosso namoro à distância e do caminho elétrico que nos juntou. Era o único disco ali e ficamos o tocando uma vez atrás da outra.

Notícia de última hora de uma emissora local, depois um alerta climatológico anunciando a chegada de mais chuvas fortes. Eu já estava pressentindo. A música "Your Protector", do Fleet Foxes, se seguiu. Sua melancólica ameaça encheu meu coração de uma estranha adrenalina. Hora de ir embora. Deixei um dinheiro na mesa e abaixei para amarrar o cordão do sapato, que havia se desamarrado quando passei por algumas poças na Washington Square. Desculpe, disse ao cadarço, limpando vestígios de lama com o guardanapo. Notei que havia um funil de palavras escritas nele e coloquei o guardanapo no bolso. Para decifrar mais tarde. Enquanto eu arrumava minhas botas, a música "What a Wonderful World" começou a tocar. Quando me sentei, as lágrimas corriam. Recostei na cadeira e fechei os olhos, tentando não ouvir.

— Se você não tem um, então todo mundo é seu namorado.

A saudação matinal com cara de mensagem de cartão comemorativo era cortesia daquele maldito vaqueiro. Tateei em busca dos meus óculos. Estavam enrolados na roupa de cama junto com um velho exemplar de bolso de *The Laughing Policeman* e uma correntinha com uma cruz etíope. Como ele continua aparecendo, e como sabia que era Dia dos Namorados? Calcei minhas pantufas e arrastei os pés até o banheiro, me sentindo um tanto azeda. Senti sal nos cílios e as lentes dos óculos estavam embaçadas com marcas de dedos. Esfreguei uma toalha quente nas pálpebras e olhei para o banco baixo de madeira que já servira de cama para um jovem aldeão da Costa do Marfim. Vi uma pilha de camisões brancos, camisetas esfiapadas e fininhas por muitos anos de uso, e as velhas camisas de flanela de Fred que quase haviam sumido depois de tantas lavagens. Lembrei que quando as roupas de Fred precisavam de consertos eu mesma os fazia. Escolhi uma camisa xadrez em preto e vermelho; pareceu uma boa escolha. Apanhei meu macacão do chão e tirei as meias.

É verdade, eu não tinha namorado, então o vaqueiro devia estar certo. Quando você não tem ninguém, qualquer um é um namorado potencial. Uma ideia que decidi guardar para mim mesma para não ter de passar o dia colando corações e lacinhos em papel vermelho para enviar ao mundo inteiro.

"O mundo é tudo que for o caso." Aí está uma tirada sábia e elegante, cortesia de *Tractatus Logico*, de Wittgenstein, fácil de entender mas impossível de decifrar. Eu poderia imprimir isso no centro de um porta-copos de papel e enfiar no bolso de um transeunte desconhecido. Ou talvez Wittgenstein pudesse ser o meu namorado. Poderíamos morar numa casinha vermelha envolvidos em um impertinente silêncio na encosta de uma montanha na Noruega.

A caminho do 'Ino percebi que o fundo do meu bolso esquerdo estava rasgado e fiz uma anotação mental para remendá-lo. Meu estado de espírito melhorou de repente. O dia estava seco e luminoso, a atmosfera estremecia de vida, como as fibras translúcidas de uma rara espécie aquática com tentáculos longos e flutuantes, babados fluindo verticalmente da abóboda de uma medusa. Quisera a energia humana pudesse se materializar desse jeito. Imagino esses babados ondulando horizontalmente nas abas do meu casaco preto.

Botões de flores vermelhas enfeitavam o banheiro do 'Ino. Joguei meu casaco em cima da cadeira vazia à minha frente, depois passei quase uma hora tomando café e enchendo páginas do meu caderno com desenhos de animais unicelulares e diversas espécies de plânctons. Foi estranhamente tranquilizante, pois me lembrei de ter copiado aquelas coisas de um grosso manual que ficava na prateleira em cima da mesa do meu pai. Ele tinha vários livros resgatados de latas de lixo e casas abandonadas, e comprados por mixaria em bazares de igreja. Os assuntos variavam de ufologia a Platão e planárias, refletindo sua mente sempre curiosa. Eu me debruçava sobre esse livro específico por horas, contemplando seu misterioso mundo. O texto denso era impossível de penetrar, mas de alguma forma as representações monocrômicas de organismos vivos sugeriam muitas cores, como dardejantes peixinhos numa piscina fluorescente. Esse livro obscuro e sem título, com seus paramécios, algas e amebas, flutua vivo na minha memória. Essas coisas que desaparecem no tempo e nos surpreendemos ansiosas para encontrarmos outra vez. Buscamos tais coisas tão de perto, do mesmo jeito que procuramos nossas próprias mãos em um sonho.

Meu pai dizia que nunca se lembrava dos próprios sonhos, mas eu tinha muita facilidade para contar os meus. Também dizia que ver as próprias mãos no meio de um sonho era muito raro. Eu tinha certeza de que conseguiria se me concentrasse, uma noção que resultou numa pletora de experimentos fracassados. Meu pai questionava a utilidade desse empreendimento, mas mesmo assim invadir os meus sonhos estava em primeiro lugar na lista de coisas impossíveis que um dia eu deveria realizar.

No colégio eu vivia sendo repreendida por não prestar atenção. Suponho que estivesse ocupada pensando sobre coisas assim ou tentando decifrar o mistério de uma teia de perguntas aparentemente irrespondíveis sempre em expansão. As equações inúteis, por exemplo, ocupavam boa parte do segundo ano. Eu estava lidando com uma frase problemática de *The Story of Davy Crockett*, de Enid Meadowcroft. Eu não devia estar lendo aquilo, pois ele estava na estante do terceiro ano. Mas me senti atraída e enfurnei o livro na minha mochila e o li em segredo. Instantaneamente me identifiquei com o jovem Davy, que era grande e magro, contava histórias igualmente grandiosas, se metia em encrencas e esquecia seus deveres. O pai achava que Davy não valia um figo podre. Eu tinha só sete anos e aquelas palavras me intrigaram. O que o pai dele queria dizer com isso? Eu ficava acordada durante a noite pensando. Quanto valia um figo podre? Será que um figo maduro valeria um garoto como Davy Crockett?

Eu seguia minha mãe pelos corredores do mercado A&P empurrando o carrinho de compras.

— Mamãe, quanto valeria um figo podre?

— Ah, Patricia, sei lá. Pergunte ao seu pai. Eu vou levando o carrinho, vai pegar o seu cereal e não fique zanzando por aí.

Logo fiz o que ela mandou e apanhei uma caixa de cereal matinal. Depois me afastei do corredor de alimentos matinais para verificar o preço dos figos, confrontada com um novo dilema. Que espécie de figo? Figos frescos figos em compota figos secos e todos os outros tipos de figo. Sem falar de doce de figo, figos cristalizados e geleia de figo.

No fim entendi que Davy Crockett estava além de qualquer avaliação, até mesmo do pai. Apesar de suas deficiências, ele trabalhou duro para ser útil e pagar todas as dívidas paternas. Eu lia e relia aquele livro proibido, seguindo-o por trilhas que levavam meus pensamentos em direções imprevistas. Se me perdesse no caminho, eu tinha uma bússola que havia encontrado emaranhada num leito de folhas úmidas enquanto andava. A bússola era velha e enferrujada, mas ainda funcionava, ligando a terra e as estrelas. Ela me informava onde eu estava e qual era a melhor saída, mas não dizia para onde eu ia nem nada sobre o meu valor.

O relógio sem ponteiros

No começo era o tempo real. Uma mulher entra em um jardim explodindo em cores. Ela não tem memória, apenas uma florescente curiosidade. Ela se aproxima do homem. Ele não se mostra curioso. Fica de pé ao lado de uma árvore. Dentro da árvore há um mundo que se torna um nome. Ele recebe o nome de todas as coisas vivas. Unificado no presente, ele não tem sonhos nem ambições. A mulher se aproxima, arrebatada pelo mistério da sensação.

Fecho meu caderno e fico sentada no café pensando sobre o tempo real. Será que o tempo é ininterrupto? Só abrange o presente? Será que nossos pensamentos são apenas trens passageiros, sem paradas, destituídos de dimensão, zunindo com grandes cartazes de imagens repetidas? Captando um fragmento de um assento na janela, com um idêntico fragmento no próximo quadro? Se eu escrever no presente, com digressões, ainda será em tempo real? O tempo real, raciocinei, não pode ser dividido em seções, como números no mostrador de um relógio. Se eu escrever sobre o passado enquanto lido simultaneamente com o presente, ainda estou em tempo real? Talvez não exista passado nem futuro, somente um perpétuo presente contendo essa trindade da memória. Olhei para a rua e notei a luz mu-

Arcade Bar, Detroit, Michigan.

dando. Talvez o sol tenha se escondido atrás de uma nuvem. Talvez o tempo tenha escapado.

Eu e Fred não tínhamos uma referência temporal específica. Em 1979 nós morávamos no Book Cadillac Hotel, no centro de Detroit. Vivíamos 24 horas por dia, quase não levando o tempo em consideração enquanto passávamos pelos dias e noites. Ficávamos acordados conversando até o amanhecer, dormíamos até o cair da noite. Quando acordávamos, saíamos atrás de restaurantes 24 horas ou ficávamos andando nas imediações do varejão de móveis Art Van's, que abria à meia-noite, servindo café frio e donuts esfarelados. Às vezes simplesmente dirigíamos sem destino e parávamos antes do sol nascer em algum motel, em lugares como Port Huron ou Saginaw, e dormíamos o dia inteiro.

Fred adorava o Arcade Bar, próximo ao nosso hotel. O lugar abria pela manhã, um bar no estilo dos anos 1930 com algumas mesas privativas, uma grelha e um grande relógio de estação ferroviária sem ponteiros. Fred bebia algumas cervejas e eu tomava café preto. Numa dessas manhãs no Arcade Bar, enquanto eu olhava o grande relógio de parede, Fred de repente teve uma ideia para um programa de TV. Estávamos nos primórdios da TV a cabo e ele imaginou uma transmissão pela WGPR, a primeira emissora negra independente de Detroit. O segmento de Fred, *Bêbados à tarde*, cairia no domínio do relógio sem ponteiros, intocado pelo tempo ou por expectativas sociais. Apresentaria um convidado sendo entrevistado numa mesa embaixo do relógio, só bebendo e conversando. Chegaria um momento em que os dois ficariam bêbados. Fred se comunicava bem em qualquer assunto, desde tacadas de golfe de Tom Watson até as manifestações de Chicago ou a decadência das estradas de ferro. Fred fez uma lista de potenciais convidados dos mais diferentes estratos da sociedade. No alto da lista estava Cliff Robertson, um ator B meio perturbado que partilhava o interesse de Fred por aviação, um homem de quem ele gostava.

Dependendo do andamento do programa, em intervalos não determinados, eu teria um segmento de quinze minutos chamado *Pausa para o café*. A ideia era que a Nescafé patrocinasse o meu segmento. E não haveria convidados; eu é que convidaria os telespectadores a tomar uma xícara de Nescafé comigo. Por sua vez, Fred e seu convidado não teriam obrigação de se comunicar com os telespectadores, só um com o outro. Cheguei a procurar e comprar o uniforme perfeito para o meu segmento — um vestido de linho risca de giz cinza e branco abotoado na frente, com mangas cavadas e dois bolsos. No estilo das penitenciárias da França. Fred resolveu que usaria sua camisa cáqui com uma gravata marrom-escura. Em *Pausa para o café*, eu pretendia discutir literatura de prisão, destacando escritores como Jean Genet e Albertine Sarrazin. Em *Bêbados à tarde*, Fred poderia oferecer aos convidados um conhaque finíssimo num copo de papel pardo.

Nem todos os sonhos precisam ser concretizados. Era o que Fred costumava dizer. Nós realizávamos coisas que ninguém jamais saberia. Inesperadamente, quando voltamos da Guiana Francesa ele resolveu aprender a pilotar. Em 1981 fomos de carro a Outer Banks, na Carolina do Norte, para saudar o primeiro campo de pouso dos Estados Unidos, no Memorial dos Irmãos Wright, pegando a us Highway 158 até Kill Devil Hills. Depois seguimos pelo litoral sul, passando por uma escola de pilotagem atrás da outra. Passamos pelas Carolinas e chegamos a Jacksonville, na Flórida, depois passamos por Fernandina Beach, American Beach, Daytona Beach e retornamos para Saint Augustine. Lá ficamos hospedados num hotel à beira-mar com uma pequena cozinha. Fred voava e bebia Coca-Cola. Eu escrevia e tomava café. Compramos miniaturas de frascos da água descoberta por Ponce de León — um buraco no chão esguichando a suposta fonte da juventude. Não vamos tomá-los nunca, disse Fred, e os frascos viraram parte do nosso baú de tesouros improváveis. Durante um tempo pensamos em comprar um farol abandonado ou uma traineira de camarões. Mas quando achei que estava grávida, voltamos para casa em Detroit, trocando uma série de sonhos por outros.

Fred finalmente tirou seu brevê, mas não tinha dinheiro para pilotar um avião. Eu escrevia sem parar, mas não publicava nada. Durante todo esse tempo nos mantivemos firmes no conceito do relógio sem ponteiros. Cumpríamos tarefas, bombeávamos água do poço, empilhávamos sacos de areia, plantávamos árvores, passávamos camisas a ferro, costurávamos bainhas, mas sempre preservando nosso direito de ignorar os ponteiros que continuavam a girar. Olhando agora para trás, passado tanto tempo da morte de Fred, nosso jeito de viver parece um milagre, que só pôde ser realizado pela silenciosa sincronização de brilhos e engrenagens de uma mente comum.

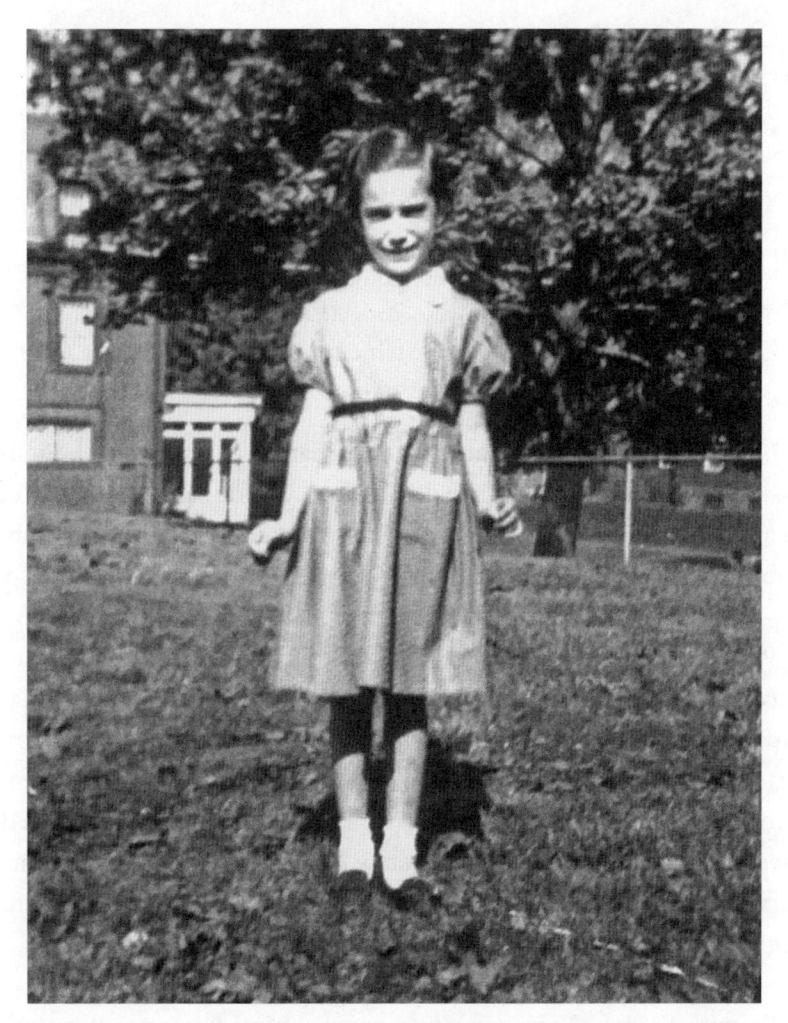

Germantown, Pensilvânia, primavera de 1954.

O poço

Nevou no Dia de Saint Patrick, atrapalhando a parada anual. Fiquei na cama vendo a neve rodopiar acima da claraboia. Dia de Saint Paddy — o dia do meu apelido, como meu pai sempre dizia. Ainda conseguia ouvir o timbre de sua voz sonora fundindo-se com os flocos de neve, instando-me a sair da cama.

— Vamos, Patricia, é o seu dia. A febre passou.

Passei os primeiros meses de 1954 sendo mimada por conta de uma convalescença infantil. Fui a única criança registrada na região da Filadélfia acometida por uma febre escarlate ostensiva. Meus irmãos mais novos mantinham uma sóbria vigília atrás da minha porta, forrada de amarelo-quarentena. Era comum eu abrir os olhos e dar de cara com os sapatinhos marrons deles. O inverno estava passando e eu, que era a líder da turma, não podia sair para supervisionar a construção das fortalezas de neve nem elaborar manobras estratégicas nos mapas caseiros de nossas guerras infantis.

— Hoje é o seu dia. Nós vamos lá fora.

Era um dia de sol com um vento ameno. Minha mãe preparou minhas roupas. Parte dos meus cabelos tinha caído por causa de uma sequência de febres altas, e meu corpo já magro perdera alguns quilos. Lembro de um gorro azul-marinho, do tipo usado pelos pescadores, e de meias laranja, em respeito ao meu avô protestante.

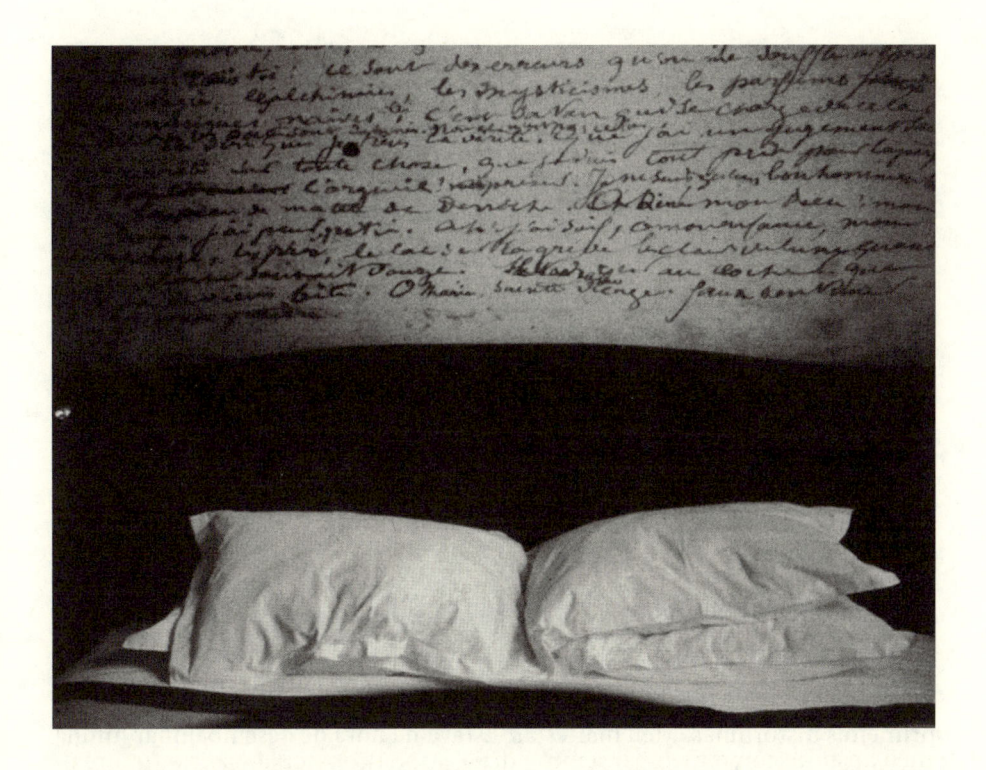

Meu pai se agachou a pouco mais de um metro de distância, me encorajando a andar.

Meus irmãos torciam por mim enquanto eu cambaleava instável na direção dele. Inicialmente fraca, minha força e velocidade voltaram e logo eu estava correndo na frente das crianças da vizinhança, de pernas compridas e livre.

Eu, meu irmão e minha irmã nascemos em anos consecutivos, no final da Segunda Guerra Mundial. Eu era a mais velha e escrevia os roteiros de nossas peças, criando situações que eles abraçavam de coração. Meu irmão Todd era o nosso fiel cavaleiro. Minha irmã Linda atuava como nossa enfermeira e confidente, cobrindo nossos ferimentos com tiras de linho velho. Nossos escudos de papelão eram forrados de papel-alumínio e estampavam a cruz de Malta, nossas missões eram abençoadas pelos anjos.

Éramos crianças bem-comportadas, mas nossa curiosidade natural às vezes nos metia em problemas. Se fôssemos apanhados nos misturando com uma gangue rival ou atravessando uma via pública proibida, nossa mãe nos botava num quartinho, advertindo para não fazermos nenhum barulho. Parecíamos aceitar de bom grado nossa sentença, mas assim que a porta se fechava nós nos reagrupávamos com rapidez em perfeito silêncio. Havia duas camas pequenas e uma grande cômoda de carvalho, com gavetas duplas entalhadas e grandes puxadores. Sentávamos em fila na frente da cômoda e eu cochichava uma palavra-código, determinando nossa rota. Girávamos solenemente os puxadores, entrando em trio por nosso portal rumo à aventura. Eu segurava a lanterna no alto e corríamos a bordo do nosso navio, nosso mundo sem problemas, como fazem as crianças. Mapeando novos esplendores, jogávamos o nosso Jogo de Puxadores, desafiando novos inimigos e revisitando florestas enluaradas que se abriam no solo oco com fontes lustrosas e ruínas de castelos que descobrimos. Brincávamos em um extasiado silêncio até nossa mãe nos libertar e nos mandar para a cama.

Continuava nevando; eu não tinha vontade de me levantar. Talvez meu atual mal-estar seja parecido com aquela convalescença infantil, que me colocou na cama onde aos poucos me recuperei, li meus livros, esbocei minhas primeiras historinhas. Meu mal-estar. Estava na hora de desembainhar minha espada de papel, hora de queimar o chão. Se ainda estivesse vivo, meu irmão com certeza me impeliria à ação.

Fui para o andar de baixo e me postei em frente às fileiras de livros, desesperada diante de tantas escolhas. Uma prima-dona nas profundezas de um guarda-roupa repleto de vestidos, mas sem nada para vestir. Como eu não conseguia encontrar nada para ler? Talvez não fosse falta de livros, mas falta de obsessão. Pus a mão numa lombada de pano verde com o título em dourado, *O pequeno príncipe aleijadinho*, um dos meus favoritos na infância — a história da srta. Mulock sobre um lindo e jovem príncipe com as pernas paralisadas quando criança devido a um acidente causado por negligência. Cruelmente aprisionado em uma torre solitária até sua verdadeira fada madrinha presenteá-lo com uma maravilhosa capa encantada capaz de transportá-lo para qualquer lugar que desejar. Era um livro difícil de encontrar e que nunca consegui ter, por isso li e reli um deteriorado exemplar da biblioteca. Até que no inverno de 1993 recebi um presente de aniversário adiantado da minha mãe junto com alguns pacotes de Natal. Aquele seria um inverno difícil. Fred estava doente e eu era acometida por uma vaga sensação de tremor. Acordei e eram quatro da manhã. Todos estavam dormindo. Desci a escada na ponta dos pés e desembrulhei o pacote. Era uma linda edição de *O pequeno príncipe aleijadinho* de 1909. Minha mãe tinha escrito "Não precisamos de palavras" na página de rosto, com sua caligrafia então tremida.

Tirei o livro da estante, abri na dedicatória dela. A caligrafia familiar me encheu de uma saudade que era também reconfortante. Mamãe, falei em voz alta, e pensei nela parando de repente o que estava fazendo, em geral no meio da cozinha, invocando a sua própria mãe que ela havia perdido com onze anos de idade. Por que só compreendemos totalmente nosso amor por alguém quando eles já morreram? Subi com o livro para o meu quarto e o coloquei ao lado de outros que tinham sido dela: *Anne de Green Gables. Papai pernilongo. A Girl of the Limberlost.* Ah, renascer nas páginas de um livro.

A neve continuava a cair. Seguindo um impulso, me enchi de roupas e fui saudar a nevasca. Andei para o leste até a livraria St. Mark's, onde perambulei pelos corredores, fazendo escolhas aleatórias, sentindo as texturas e examinando as fontes, rezando por uma perfeita frase de abertura. Desanimada, fui até a seção policial, na esperança de que Henning Mankell tivesse continuado as aventuras do meu detetive favorito, Kurt Wallander. Infelizmente eu já tinha lido todos, mas enquanto percorria a seção policial tive a sorte de ser atraída pelo mundo interdimensional de Haruki Murakami.

Eu nunca havia lido Murakami. Tinha passado os últimos dois anos lendo e desconstruindo *2666*, do Bolaño — devorando-o de trás para a frente e por todos os ângulos. Até *2666*, *O mestre e Margarida* tinha eclipsado tudo o que existia, e antes de ler tudo de Bulgákov houve um exaustivo romance com tudo do Wittgenstein, inclusive espasmódicas tentativas de resolver sua equação. Não posso dizer que consegui entender, mas o processo me levou a uma possível resposta ao enigma do Chapeleiro Maluco: "O que um corvo e uma escrivaninha têm em comum?". Imaginei a sala de aula da minha escola rural em Germantown, na Pensilvânia. Ainda tínhamos aulas de caligrafia, com tinteiros de verdade e canetas de madeira com pontas de metal para molhar na tinta. O corvo e a escrivaninha? Era a tinta. Tenho certeza.

Abri um livro chamado *Caçando carneiros*, escolhido pelo título intrigante. Um trecho me chamou a atenção: "um labirinto de ruas estreitas e canais de drenagem". Comprei-o imediatamente, como um biscoito em forma de

carneiro para molhar no meu chocolate. Depois fui até o Soba-ya ali perto, pedi um espaguete de trigo-mouro frio com inhame e comecei a ler. Fiquei tão envolvida com *Caçando carneiros* que permaneci lá mais de duas horas, lendo e tomando saquê. Uma alegria inebriante.

Nas semanas seguintes eu ficava sentada na minha mesa de canto não lendo nada a não ser Murakami. Só subia para respirar, ir ao banheiro ou pedir outro café. *Caçando carneiros* logo foi seguido por *Dance dance dance* e *Kafka à beira-mar*. Depois veio o que me ganhou, *Crônica do pássaro de corda*, colocando em movimento uma trajetória incontrolável, como um meteoro arremetendo contra uma área deserta e inocente da Terra.

Existem dois tipos de obras-primas. Existem as obras clássicas monstruosas e divinas como *Moby Dick, O morro dos ventos uivantes* ou *Frankenstein*.

Depois há o tipo em que o escritor infunde uma energia viva em palavras que esfregam, torcem e penduram o leitor para secar. Livros arrasadores. Como *2666* ou *O mestre e Margarida. Crônica do pássaro de corda* é um desses livros. Assim que terminei a leitura, fui imediatamente obrigada a ler o livro de novo. Uma das razões foi a de não querer sair de sua atmosfera. Mas também havia o fantasma de uma frase que estava me devorando. Uma coisa que desatou um nó apertado e deixou as pontas desfiadas roçando meu rosto enquanto eu dormia. Tinha a ver com o destino de certa propriedade descrita por Murakami no capítulo de abertura.

O narrador está à procura de seu gato perdido, perto do apartamento onde mora, no distrito de Setagaya, na cidade de Tóquio. Ele entra numa viela estreita, indo parar em um lugar chamado Miyawaki — uma casa abandonada num terreno baldio, com uma reles escultura de um pássaro e um ultrapassado poço. Nada indica que ele está prestes a se envolver de tal maneira que tudo o mais será eclipsado, e que vai descobrir dentro do poço uma entrada para um mundo paralelo. Ele só está procurando seu gato, mas é atraído pela atmosfera sombria de Miyawaki, assim como eu. Tanto que eu não conseguia pensar em praticamente mais nada e teria ficado feliz em subornar Murakami para escrever um longo subcapítulo dedicado exclusivamente ao local. Claro que seria impossível me contentar em eu mesma escrever esse capítulo; isso seria mera especulação ficcional. Só Murakami poderia descrever com precisão cada folha de grama daquele triste lugar. Meu interesse pelo local me arrebatou tanto que fiquei obcecada pela ideia de conhecê-lo pessoalmente.

Esmiucei com todo cuidado os últimos capítulos em busca do trecho. Será que a frase indicava que a propriedade seria vendida? Afinal encontrei a resposta no capítulo 37. Diversas frases iniciando com as inquietantes palavras: "Vamos nos livrar desse lugar logo". A propriedade ia mesmo ser vendida, com o poço sendo aterrado e fechado. Por alguma razão passei batida por aquele fato e o teria ignorado completamente não fosse uma sensação de que alguma coisa se agitava na minha lembrança, como a torção de um cordão em movimento. Fiquei chocada de alguma forma, pois tinha imaginado que o narrador faria do local sua casa, tornando-se o guardião do poço e de seu portal. Já tinha me reconciliado com a sub-reptícia remoção da escultura anônima do pássaro a que tinha me afeiçoado. Mas de repente ela tinha desaparecido sem explicação, e não havia menção sobre seu destino em parte alguma.

Sempre detestei pontas soltas. Frases inconclusas, pacotes não abertos ou personagens que desaparecem inexplicavelmente, como um lençol solitário pendurado num varal antes de uma incerta tempestade, deixado para esvoaçar até que o vento o carregasse para se transformar na pele de um fantasma ou na tenda de uma criança. Posso ficar muito perturbada quando leio um livro ou assisto a um filme, e alguma coisa que parece insignificante deixa de ser resolvida. Fico andando de um lado a outro em busca de pistas, ou desejando ter um número para ligar ou querendo escrever uma carta a alguém. Não para me queixar, só para pedir esclarecimentos ou respostas a algumas perguntas, para que enfim eu possa me concentrar em outras coisas.

Alguns pombos revoavam acima da claraboia. Fiquei imaginando como seria esse pássaro de corda. Conseguia imaginar a escultura do pássaro, indiferenciado da pedra, posicionado para voar, mas não tinha pistas sobre o pássaro de corda. Será que ele possuía um pequeno coração de pássaro? Uma mola escondida feita de uma liga desconhecida? Continuei andando de um lado a outro. Imagens de outros pássaros autômatos, como *Die Zwitscher-Maschine*, de Paul Klee, e o rouxinol mecânico do imperador da China vinham à mente, mas não forneciam subsídios para compreender a chave para o pássaro de corda. Normalmente esse seria o detalhe do livro que teria me intrigado, mas ele acabou sendo sobreposto por minha obsessão irracional pela infortunada Miyawaki, por isso deixei essa ruminação específica para outro dia.

Fiquei na cama assistindo a um episódio atrás do outro de *CSI: Miami*, com o estoico Horatio Caine. De repente cochilei um pouco, não estava exatamente dormindo, nem aqui nem lá, deslizando por aquela mística e nauseante zona entre as duas coisas. Talvez eu conseguisse voltar ao entreposto do vaqueiro. Se conseguisse, suspenderia o sarcasmo e o sondaria em busca de respostas. Vi as botas dele, e me agachei para ver que tipo de esporas ele usava. Se fossem douradas eu poderia ter certeza de que ele já tinha viajado longe, talvez chegado até a China. Ele estava matando uma mutuca extremamente grande. Percebi que estava para dizer alguma coisa. Eu estava agachada e vi que as esporas dele eram de níquel, com uma série de números gravados na curva externa, que imaginei ser uma possível sequência para um bilhete ganhador da loteria. O vaqueiro bocejou e esticou as pernas.

— Na verdade, existem três tipos de obras-primas — foi só o que ele disse.

Pulei da cama, peguei meu casaco preto e meu exemplar de *Crônica do pássaro de corda* e fui ao Café 'Ino. Era mais tarde que o habitual e felizmente estava vazio, mas havia um cartaz escrito à mão dizendo QUEBRADA afixado na máquina de café. Um pequeno golpe, mas fiquei lá assim mesmo. Inventei um jogo de abrir aleatoriamente o livro, esperando topar com alguma alusão à *propriedade*, como que escolhendo uma carta de um baralho de tarô que refletisse o estado de espírito do momento. Depois passei a me divertir fazendo uma lista nas guardas do livro. Dois tipos de obras-primas, e comecei o terceiro tipo — como se tivesse sido ditada pelo vaqueiro sabichão. Escrevi uma lista de possibilidades, somando, subtraindo e transferindo obras-primas como um guarda-livros maluco numa sala de leitura subterrânea.

Listas. Pequenas âncoras no redemoinho de ondas transmitidas, devaneios e solos de saxofone. Um rol de lavanderia de listas realmente recobradas na lavanderia. Outra na Bíblia da família datada de 1955 — os melhores livros que já li: *O cão de Flanders*. *O príncipe e o mendigo*. *O pássaro azul*. *Five Little Peppers and How They Grew*. E que tal *Mulherzinhas* ou *A Tree Grows in Brooklyn*? E que tal *Alice no País dos Espelhos* ou *O jogo das contas de vidro*? Quais deles se classificam para uma vaga entre as obras-primas na coluna um, dois ou três? Quais são simplesmente adorados? E será que os clássicos deveriam ter sua própria coluna?

— *Lolita* — sussurrou o vaqueiro de forma enfática. — Não se esqueça de *Lolita*.

Agora ele estava emergindo do devaneio, uma versão canhota de uma voz numinosa. De qualquer forma, acrescentei *Lolita*. Um clássico americano escrito por um russo, bem ao lado de *A letra escarlate*.

De repente a nova garçonete apareceu à minha mesa.

— Alguém está vindo consertar a máquina.

— Que bom.

— Desculpe não termos café.

— Tudo bem. Eu estou na minha mesa.

— E sem ninguém.

— É! E sem ninguém!

— O que você está escrevendo?

Olhei para ela, meio surpresa. Eu não tinha a mínima ideia.

No caminho para casa parei em uma delicatéssen e comprei um café preto médio e uma fatia de pão de milho hermeticamente lacrada. Fazia frio, mas não senti vontade de entrar em casa. Sentei na minha sacada e segurei meu café com as duas mãos até elas se aquecerem, depois passei vários minutos tentando desenrolar o papel-filme; seria mais fácil ter despido Lázaro. De repente me ocorreu que eu não tinha posto *Um acontecimento na vida do pintor-viajante*, de César Aira, na minha lista de obras-primas. E que tal uma sublista de obras-primas digressionais como *A Night of Serious Drinking*, de René Daumal? Aquilo estava saindo de controle. Tão mais fácil escrever uma lista do que levar numa próxima viagem.

A verdade é que só existe um tipo de obra-prima: uma obra-prima. Enfiei minha lista no bolso, levantei e entrei, deixando uma trilha de farelo de pão no piso da sacada até a porta. Meu conjunto de pensamentos vagava com a mesma futilidade e destinação de um trenzinho de criança. Dentro de casa, havia serviço para fazer. Amarrei uma pilha de papelão para reciclagem, lavei os potes de água dos gatos, varri a ração espalhada, depois, parada em frente à pia, comi uma lata de sardinha, matutando sobre o poço de Murakami.

O poço tinha secado, mas devido à milagrosa abertura do portal pelo narrador, ele fica cheio até a boca de água pura e cristalina. Será que eles iam mesmo encher o poço? Era sagrado demais para se encher, só por isso foi considerado numa única sentença de um livro. Na verdade, o poço parecia tão atrativo que eu queria procurá-lo pessoalmente e ficar esperando ao seu lado, como um samaritano na esperança de que o Messias pudesse retornar e parar para um gole. Não haveria absolutamente nenhuma estrutura temporal envolvida, pois alguém armado de tal esperança poderia ser induzido a esperar para sempre. Ao contrário do narrador, eu não tinha vontade nenhuma de entrar no poço e descer como uma Alice no País de Murakami. Jamais conseguiria vencer minha aversão a lugares fechados, ou a estar embaixo d'água. Só queria ficar pelas proximidades e poder beber do poço. Eu almejava aquilo como um conquistador maluco.

Mas como encontrar o lugar onde está Miyawaki? Na verdade, eu não me sentia intimidada. Somos orientados por rosas, o cheiro de uma página. Eu não tinha viajado até o King's College depois de ler sobre a famosa escaramuça entre Karl Popper e Ludwig Wittgenstein no livro *Wittgenstein's Poker*? Tão empolgada fiquei com uma simples tira de papel inscrita com um enigmático H-3, que consegui chegar às imediações do Clube de Ciências Morais de Cambridge, onde aconteceu a contenciosa batalha entre os dois grandes filósofos. Encontrei, consegui entrar e tirei várias fotos evasivas relativamente inúteis para qualquer um que não eu mesma. Posso dizer que não foi uma tarefa fácil. Uma investigação adicional me remeteu a uma casa de fazenda escondida no final de uma longa estrada de terra até ao malcuidado túmulo de Wittgenstein, cujo nome estava quase apagado por um emaranhado pontilhado de míldio, algas e musgos, parecendo estranhas equações feitas pelo próprio autor.

Suponho que essa fixação por uma casa a uns 20 mil quilômetros de distância possa parecer ridícula; ainda mais problemática é a tentativa de encontrar um lugar que pode não existir além de na cabeça de Murakami. Eu poderia ver se conseguiria canalizar o canal dele ou simplesmente me embrenhar no poço mental vivo e gritar: "Ei, onde está a escultura do pássaro?", ou: "Qual é o telefone do corretor imobiliário que está vendendo o local de Miyawaki?". Ou poderia perguntar pessoalmente a Murakami. Poderia encontrar o endereço dele ou escrever para o seu editor. Era uma oportunidade rara — um escritor vivo! Tão mais fácil do que tentar canalizar um poeta do século XIX ou um pintor de ícones do século XI. Mas não seria um ato de velhacaria ostensivo? Imagine Sherlock Holmes procurando Conan Doyle em busca da resposta a um enigma difícil em vez de decifrá-lo ele mesmo. Holmes jamais se atreveria a perguntar a Doyle, nem se uma vida dependesse disso, principalmente se fosse sua própria vida. Não, eu não iria perguntar a Murakami. Ainda que pudesse tentar uma tomografia aérea de sua teia subconsciente ou simplesmente me encontrar com ele para um café onde os portais se conectam.

Eu me perguntava como seria o portal.

Diversas vozes soaram, com as respostas se entrecruzando.

— Como um terminal vazio no aeroporto de Berlim-Tempelhof.

— Como o círculo aberto no teto do Panteão.

— Como a mesa oval no jardim de Schiller.

Isso era interessante. Portais não relacionados. Seria uma pista ou apenas uma fantasia? Remexi em algumas caixas, certa de ter tirado umas fotos do velho terminal de Berlim. Não dei sorte, mas encontrei duas fotos da mesa oval

num livrinho de poemas de Friedrich Schiller. Puxei as fotos de dentro do envelope de papel-manteiga, idênticas, a não ser pelo sol borrando mais uma imagem que a outra, tirada de um ângulo obscuro para enfatizar a semelhança com a cuba de uma pia batismal.

Em 2009 alguns membros do CDC se reuniram na cidade de Jena, no leste da Turíngia, no grande vale do rio Saale. Não foi um encontro oficial, era mais uma missão poética, na casa de veraneio de Friedrich Schiller, no jardim onde ele escreveu *Wallenstein*. Estávamos celebrando o quase sempre esquecido Fritz Loewe, o homem de confiança de Alfred Wegener.

Loewe era um homem alto e sensível, com os dentes levemente protuberantes e um andar esquisito. Um cientista clássico com uma coragem meditativa, que acompanhou Wegener na expedição à Groenlândia para ajudar no trabalho glaciológico. Em 1930, ele estava com Wegener na dura jornada entre a Estação Ocidental e Eismitte, onde dois cientistas, Ernst Sorge e Johannes Georgi estavam acampados. Loewe sofreu um grave enregelamento e não pôde ir além do acampamento de Eismitte, e Wegener continuou sem ele. Os dedos dos dois pés de Loewe foram cruelmente amputados no local, sem

anestesia, prostrando-o em seu saco de dormir pelos meses seguintes. Sem saber que seu líder havia perecido, Loewe e seus colegas cientistas esperaram seu retorno entre novembro e maio. Nas tardes de domingo, Loewe lia poemas de Goethe e Schiller para os colegas, preenchendo aquela cripta de gelo com o calor da imortalidade.

Ficamos sentados na grama junto à mesa oval onde Schiller e Goethe haviam conversado durante horas. Lemos um trecho do ensaio de Sorge, "Winter at Eismitte", que falava do estoicismo e da resistência de Loewe, e depois uma seleção de poemas que ele havia lido durante o terrível isolamento do grupo. Era final de maio e as flores desabrochavam. Ao longe podíamos ouvir uma alegre melodia tocada numa sanfona, que chamamos carinhosamente de "Canção de Loewe". Depois de nos despedirmos, segui em frente e tomei um trem para Weimar, à procura da casa onde Nietzsche viveu sob os cuidados da irmã mais nova.

Colei uma das fotografias da mesa de pedra perto da minha escrivaninha. Apesar da simplicidade, eu via na foto um poder natural, um conduto me transportando de volta a Jena. A mesa era realmente um elemento valioso para compreender o conceito de um portal dimensional. Tinha certeza de que se dois amigos pusessem as mãos nela, como se fosse um tabuleiro Ouija, seria possível se envolverem na atmosfera de Schiller em seu crepúsculo, e de Goethe em seu apogeu.

Todas as portas estão abertas para quem acredita. É a lição da mulher samaritana no poço. No meu estado sonolento, me ocorreu que se o poço fosse um portal de saída, deveria haver um portal de entrada. Deveria haver mil e uma maneiras de encontrá-lo. Eu ficaria contente com uma. Poderia ser possível passar pelo espelho órfico, como o poeta bêbado Cègeste no *Orfeu* de Cocteau. Mas eu não queria passar através de espelhos, nem por paredes de túneis quânticos, nem entrar por um furo na cabeça do escritor.

No final foi o próprio Murakami quem me forneceu uma solução moderada. O narrador em *Crônica do pássaro de corda* conseguia passar pelo poço e chegar ao saguão de um hotel indefinível ao se visualizar nadando, como em seus momentos mais felizes. Como o que Peter Pan disse para que Wendy e os irmãos pudessem voar: "Tenham pensamentos felizes".

Esmiucei meus nichos de alegrias antigas, me detendo em um momento de exaltação secreta. Levaria algum tempo, mas eu sabia exatamente o que fazer. Primeiro eu fecharia os olhos e me concentraria nas mãos de uma garota de dez anos usando uma chaveta para ajustar os patins nos sapatos de um garoto de doze anos. Tenha pensamentos felizes. Eu passaria pelo portal apenas patinando.

Cama de Frida Kahlo, Casa Azul, em Coyoacán.

A roda da fortuna

Fiquei sem sonhar por um tempo. Com meus rolimãs mais ou menos enferrujados, fiquei acordando em círculos, depois em trilhas horizontais, de referencial em referencial, mas na verdade sem referência nenhuma. Como não chegava a parte alguma, voltei a um velho jogo inventado muito tempo antes como um contra-ataque à insônia, mas também útil para não sofrer de enjoos em longas viagens de ônibus. Um jogo de amarelinha interior praticado pela cabeça, não pelos pés. O jogo se dava numa espécie de estrada, um alinhamento aparentemente infinito, mas na verdade finito, de quadrados de pirita pelos quais se deve avançar para chegar a uma destinação de ressonância mística como, digamos, o Serapeu de Alexandria, com o cartaz da entrada pendurado numa corda de veludo com borlas balançando do alto. É preciso enunciar um ininterrupto fluxo de palavras começando com uma determinada letra, por exemplo, a letra M. Madrigal minueto mestre mistério monstro magnético maestro mutilação misericórdia morango merengue mastim matreiro mestiço e assim por diante sem parar, avançando palavra por palavra, quadrado por quadrado. Quantas vezes já joguei esse jogo, sem nunca chegar à corda pendurada, mas ao menos desembocando num sonho em algum lugar? Então eu voltei a jogar. Fechei os olhos, deixei meus pulsos soltos, minha mão circulando o teclado do meu Air, e meu dedo apontou o caminho quando parei. V.

Vanessa valor Violeta Vênus Verdi vilão vetor vitamina vestígio vértice vara vinho vírus vidro verme velino veneno véu, partindo de repente com a mesma facilidade que uma cortina vaporosa assinalando o começo de um sonho.

Eu estava no meio da mesma cafeteria e sua recorrente paisagem onírica. Sem garçonete, sem café. Fui obrigada a ir até o fundo e moer alguns grãos para preparar minha bebida. Não havia ninguém por perto para salvar o vaqueiro. Notei que ele tinha uma cicatriz que parecia uma pequena serpente se mexendo abaixo da clavícula. Servi uma caneca fumegante para nós dois, mas evitei os seus olhos.

— As lendas gregas não nos dizem nada — ele estava falando. — Lendas são histórias. As pessoas as interpretam ou conferem uma moral a elas. Medeia ou a Crucificação, não se pode separá-las. A chuva e o sol chegaram simultaneamente e criaram um arco-íris. Medeia fitou os olhos de Jasão e sacrificou seus filhos. Essas coisas acontecem, só isso, o inegável efeito dominó de estar vivo.

Ele saiu para se aliviar enquanto eu contemplava o Velo de Ouro segundo Pasolini. Cheguei perto da porta e olhei para o horizonte. A paisagem poeirenta era interrompida por montanhas rochosas sem vegetação. Eu me perguntei se Medeia tinha subido naquelas montanhas quando sua ira foi saciada. Me perguntei quem seria o vaqueiro. Uma espécie de andarilho homérico, imaginei. Esperei que saísse do mictório, mas ele estava demorando muito. Havia sinais de que as coisas estavam para mudar: um relógio errático, o banquinho giratório do bar e uma abelha debilitada levitando sobre a superfície de uma mesinha revestida de esmalte bege. Pensei em preservar aquilo tudo, mas não havia nada que eu pudesse fazer. Já ia saindo sem pagar o meu café, mas depois, pensando melhor, joguei algumas moedas na mesa perto da abelha moribunda. Suficiente para o café e um modesto enterro numa caixa de fósforos.

Acordei do meu sonho, saí da cama, lavei o rosto, trancei meu cabelo, localizei meu gorro e o caderno e saí, ainda pensando no vaqueiro tagarelando sobre Eurípedes e Apolônio. No começo ele me causou má impressão, mas eu tinha de admitir que sua presença recorrente era um consolo. Alguém que eu podia encontrar, se necessário, naquela mesma paisagem no limiar do sono.

Quando atravessei a Sexta Avenida, *Callas é Medeia é Callas* entrou num ritmo circular com minhas botas batendo na rua. Pier Paolo Pasolini pensa em seu elenco e escolhe Maria Callas, uma das vozes mais expressivas de todos os tempos, para um papel épico com poucos diálogos e absolutamente nenhum canto. Medeia não entoa canções de ninar; ela mata os seus filhos. Maria não foi uma cantora perfeita; ela explorou as profundezas de seu poço infinito e conquistou os mundos de seu mundo. Mas todas as mágoas de suas heroínas não a prepararam para suas próprias mágoas. Traída e esquecida, foi abandonada sem amor, sem voz e sem filhos, condenada a viver na solidão. Eu preferia imaginar Maria livre dos pesados trajes de Medeia, a rainha queimada em um manto amarelo-claro. Ela está usando pérolas. A luz inunda seu apartamento em Paris enquanto ela pega uma pequena urna de couro. O amor é a joia mais preciosa de todas, ela murmura, largando as pérolas que caem de seu pescoço, escalas de tristeza que sobem e descem.

O Café 'Ino estava aberto e vazio; o cozinheiro fritava alho sozinho. Entrei numa padaria próxima, comprei um café e um pedaço de bolo crocante e sentei num banco na Father Demo Square. Vi um garoto levantar a irmã mais nova para tomar água do bebedouro. Quando ela acabou de beber, chegou a vez do garoto. Os pombos já estavam se reunindo. Enquanto desembrulhava o meu bolo, projetei uma cena de crime caótica envolvendo pombos delirantes, açúcar mascavo e exércitos de formigas extremamente motivadas. Olhei para a grama saindo do cimento rachado. Onde estão todas as formigas? E as abelhas e as borboletinhas brancas que a gente via por toda parte? E as medusas e as estrelas cadentes? Abri meu diário e observei alguns desenhos. Uma formiga percorreu a página dedicada a uma folha de palmeira-do-chile achada no Orto Botanico em Pisa. Havia um pequeno esboço do tronco, mas não das folhas. Havia um pequeno esboço do céu, mas não da terra.

Chegou uma carta. Era do diretor da Casa Azul, lar e local de descanso de Frida Kahlo, pedindo que eu fizesse uma palestra abordando a vida e o trabalho revolucionários da artista. Em troca, eu teria permissão de fotografar seus pertences, os talismãs de sua vida. Hora de viajar, concordar com o destino. Pois embora eu almeje a solidão, decidi que não poderia perder a oportunidade de falar no mesmo jardim que vinha desejando visitar desde garota. Eu entraria na casa habitada por Frida e Diego Rivera, passearia por aposentos que só vi em livros. E estaria de volta ao México.

Minha introdução à Casa Azul foi *A vida fabulosa de Diego Rivera* — presente da minha mãe no meu aniversário de dezesseis anos. Era um livro sedutor que havia nutrido em mim um crescente desejo de me imergir no mundo da arte. Eu sonhava em viajar ao México, sentir o gosto da revolução, pisar naquela terra e rezar diante das árvores habitadas por seus misteriosos santos.

Reli a carta com um entusiasmo ainda maior. Pensei na tarefa que tinha pela frente, e em meu eu jovem viajando para lá na primavera de 1971. Eu tinha pouco mais de vinte anos. Economizei meu dinheiro e comprei uma passagem para a Cidade do México. Tive de fazer uma conexão em Los Angeles. Lembro de ter visto um cartaz com a imagem de uma mulher crucificada em um poste de telégrafo — *L.A. Woman*. O single "Riders on the Storm" do The Doors tocava no rádio. Na época eu não tinha essa carta, nenhum plano real, mas tinha uma missão, e isso era o bastante para mim. Queria escrever um livro chamado *Java Head*. William Burroughs havia me dito que o melhor café do mundo crescia nas montanhas ao redor de Veracruz, e eu estava determinada a descobri-lo.

Cheguei à Cidade do México e fui imediatamente à estação ferroviária, onde comprei uma passagem de ida e volta. O trem noturno iria partir em sete horas. Juntei um caderno, uma caneta Bic, um exemplar manchado de tinta da *Antologia* de Artaud e uma pequena câmera Minox numa mochila de lona e deixei o resto das minhas coisas num armário da estação. Depois de trocar um pouco de dinheiro, desci a rua e fui à cafeteria do extinto Hotel Ortega e pedi uma terrina de bacalhau ensopado. Ainda consigo ver as espinhas de peixe nadando no molho cor de açafrão, e um grande espinho alojado na minha garganta. Fiquei ali sozinha, engasgando. Afinal consegui tirar o espinho usando o polegar e o indicador, sem regurgitar nem chamar a atenção para mim. Embrulhei o espinho num guardanapo, o guardei no bolso, chamei o garçom e paguei a conta.

Recobrei a serenidade e embarquei num ônibus para Coyoacán, no sudoeste da cidade, o endereço da Casa Azul no bolso. Era um lindo dia e eu estava tomada de ansiedade. Mas, quando cheguei, o lugar estava fechado para uma grande reforma. Fiquei entorpecida na frente das grandes paredes azuis. Não havia nada que eu pudesse fazer, ninguém com quem reclamar. Não era para eu entrar na Casa Azul naquele dia. Andei alguns quarteirões até a casa onde Trótski foi assassinado; ante tal ato íntimo de traição, Genet teria elevado o assassino à santidade. Acendi uma vela na Igreja Batista e sentei num banco com as mãos entrelaçadas, periodicamente conferindo o pequeno machucado causado pelo espinho na minha garganta. De volta à estação ferroviária, um carregador me deixou embarcar mais cedo. Fiquei num pequeno compartimento reservado. Havia um assento de madeira dobrável e eu o cobri com um xale listrado multicolorido, apoiando meu Artaud no espelhinho. Estava realmente feliz. Estava a caminho de Veracruz, um importante centro de comércio de café no México. Era lá que eu me imaginava escrevendo uma meditação pós-beat sobre minha substância favorita.

A viagem de trem foi normal, sem nenhum efeito especial de Alfred Hitchcock. Revisei o meu plano. Não queria nada além de encontrar um bom lugar para ficar e a perfeita xícara de café. Eu conseguia tomar catorze xícaras sem comprometer o meu sono. O primeiro hotel que encontrei era tudo o que eu desejava. O Hotel Internacional. Consegui um quarto caiado com uma pia, um ventilador no teto e uma janela que dava para a praça da cidade. Arranquei do meu livro uma imagem de Artaud no México e afixei na cornija de gesso atrás de uma vela votiva. Ele havia adorado o México, e deduzi que ele gostaria de voltar ali. Depois de um pequeno descanso, contei meu dinheiro, peguei o que precisava e deixei o resto numa meia de algodão tricotada com uma rosinha bordada no tornozelo.

Saí para a rua e escolhi um banco bem situado para me sentar e supervisionar a área. Percebi que uns homens saíam periodicamente de um entre dois hotéis e dirigiam-se para a mesma rua. No meio da manhã segui discretamente um deles por uma sinuosa rua lateral até um café que, apesar da aparência modesta, parecia o coração da ação cafeeira. Na verdade, não era bem um café, era um revendedor de café. Não havia porta. O assoalho xadrez em preto e branco era coberto de serragem. Sacos de aniagem cheios de grãos de café empilhavam-se ao longo das paredes. Havia apenas umas poucas mesinhas, mas todo mundo ficava em pé. Não havia nenhuma mulher lá dentro. Por isso continuei andando.

No segundo dia da minha ronda, entrei como se fosse uma frequentadora, arrastando os pés pela serragem. Estava com meu Ray-Ban, adquirido na tabacaria da Sheridan Square, e uma capa de chuva comprada de segunda mão em Bowery. Era coisa classuda, fininha como papel e já meio puída. Eu estava disfarçada de uma jornalista da *Coffe Trader Magazine*. Sentei numa das mesinhas redondas e levantei dois dedos. Não sabia bem o que significava, mas todos os homens faziam aquilo com bons resultados. Fiquei escrevendo sem parar no meu caderno de anotações. Ninguém parecia se importar. As horas se passaram lentamente, e só poderiam ser definidas como sublimes. Notei um calendário afixado num saco transbordando grãos de café que demarcava Chiapas. Era dia 14 de fevereiro e eu estava prestes a me entregar de coração a uma perfeita xícara de café, que me foi servida com certa cerimônia. O proprietário ficou ao meu lado esperando. Abri um sorriso alegre e agradecido. *Hermosa*, falei, e ele retribuiu com um grande sorriso. Café destilado de grãos das terras altas, entrelaçado com orquídeas silvestres e salpicado por seu pólen; um elixir casando extremos da natureza.

Passei o resto da manhã vendo homens entrando e saindo, experimentando cafés e cheirando os diversos grãos. Sacudindo-os, segurando perto da orelha como conchas do mar e rolando-os numa mesa com mãos pequenas e ásperas, como que lendo a sorte. Em seguida faziam um pedido. Nessas horas, o proprietário e eu não trocávamos uma palavra sequer, mas o café continuava sendo servido. Às vezes numa xícara, às vezes num copo. Na hora do almoço todo mundo foi embora, inclusive o proprietário. Levantei e fui examinar as sacas, embolsando alguns grãos selecionados como lembrança.

A rotina se repetiu nos dias seguintes. Finalmente admiti que não estava escrevendo para nenhuma revista, mas para a posteridade. Quero compor uma ária ao café, expliquei sem me desculpar, algo que sobreviva como a *Cantata do Café*, de Bach. O proprietário ficou me olhando de braços cruzados. Como ele reagiria a tal insolência? Ele se afastou, fazendo sinal para eu esperar ali. Eu não fazia ideia se a *Cantata do Café* de Bach era obra de gênio, mas a mania dele por café, numa época em que o produto era visto como uma droga, é fato conhecido. Um hábito que Glenn Gould com certeza adotou quando interpretou as *Variações Goldberg* e gritou de forma meio maníaca do piano: Eu sou Bach! Bom, eu não era ninguém, trabalhava numa livraria e tinha saído de férias para escrever um livro que jamais cheguei a escrever.

O proprietário voltou pouco depois com dois pratos de feijão-preto, milho assado, tortilhas com açúcar e cacto fatiado. Comemos juntos, e depois ele me trouxe uma última xícara. Paguei minha conta e mostrei meu caderno. Ele fez sinal para que o seguisse até sua mesa. Pegou seu carimbo oficial de comerciante de café e estampou solenemente numa página em branco. Trocamos um aperto de mãos sabendo que provavelmente nunca mais nos encontraríamos, e que eu nunca mais tomaria um café tão extasiante quanto o dele.

Fiz as malas correndo, jogando o *Crônica do pássaro de corda* em cima da minha malinha de metal. Tudo da minha lista: passaporte casaco preto macacão calcinhas quatro camisetas seis pares de meias listradas tubos de filme Polaroid câmera Land 250 gorro preto lata de arnica caderno com papel pautado Moleskine cruz etíope. Tirei meu baralho de tarô da velha bolsinha de camurça e puxei uma carta, um pequeno hábito antes de viajar. Saiu a carta do destino. Fiquei olhando meio sonolenta para a grande roda giratória. Tudo bem, pensei, esta serve.

Acordei sonhando com Pat Sajak. Na verdade, não sei ao certo se era mesmo Pat Sajak, pois só vi umas mãos de homem virando cartas muito grandes e mostrando letras específicas. A peculiaridade foi a sensação de estar revisitando um sonho antigo. As mãos viravam várias letras, o suficiente para eu adivinhar uma palavra, mas acabavam vazias. No meu sono eu lutava para ver o perímetro do sonho. Tudo era em close-up. Não tinha como ver mais do que eu via. Aliás, as bordas exteriores eram levemente distorcidas, fazendo o tecido de seu belo terno de gabardine parecer embaçado, como uma seda pura e áspera. As mãos pareciam bem tratadas, por uma manicure. Usava um anel dourado de sinete no dedo mínimo. Eu deveria ter examinado mais de perto, pois poderia ter as iniciais dele gravadas.

Depois lembrei que o Pat Sajak não vira cartas com letras na vida real. Embora seja discutível que um programa de jogos conte como vida real. Todo mundo sabe que é a Vanna White que vira as letras, não Pat. Mas eu tinha esquecido e, pior ainda, não conseguia visualizar o rosto dela. Consegui evocar um desfile de belos vestidos, mas não o rosto dela, um fato que me incomodou, provocando a mesma inquietação que se pode experimentar ao ser interrogado por autoridades sobre a própria localização num dia específico e não ter um álibi sólido. Eu estava em casa, teria respondido hesitante, vendo Pat Sajak virar letras que formavam palavras que não consegui discernir.

Meu carro chegou. Fechei minha mala, pus o passaporte no bolso e sentei no banco de trás. O trânsito estava pesado, e ficamos esperando para entrar no Holland Tunnel. Voltei a pensar nas mãos de Pat Sajak. Existe uma teoria que diz que ver as próprias mãos num sonho traz boa sorte. Um grande augúrio, mas as próprias mãos — não as mãos do Pat em close fazendo o lance da Vanna. Logo em seguida cochilei e tive um sonho totalmente diferente. Estava numa floresta e as árvores pareciam carregadas de ornamentos sagrados que cintilavam ao sol. Eles estavam altos demais para alcançar, por isso eu os derrubei com uma longa vara de madeira que convenientemente jazia na grama. Quando espetei os galhos frondosos, um monte de mãozinhas prateadas caiu perto dos meus sapatos. Eram sapatos baixos e marrons surrados como os que eu usava na escola, e quando abaixei para afastar aquelas mãos vi uma lagarta preta subindo pela minha meia.

Me senti desorientada quando o carro estacionou no Terminal A. Esse é o meu destino?, perguntei. O motorista resmungou alguma coisa e eu desci, tomando cuidado para não esquecer o meu gorro preto, e segui para o terminal. O táxi tinha me deixado do lado errado e tive de abrir caminho entre centenas de pessoas indo sei lá para onde para encontrar o guichê de passagens. A garota atrás do balcão insistiu para que eu usasse a máquina. Não sei por onde andei na última década, mas desde quando o conceito de máquina chegou aos terminais aeroviários? Eu quero que alguém me dê o meu cartão de embarque, mas ela insistiu para que eu digitasse meus dados numa tela usando a maldita máquina. Tive de revirar minha bolsa para encontrar meus óculos de leitura, e depois de ter respondido a todas as perguntas e escanear meu passaporte, recebi a sugestão de triplicar minhas milhas por 108 dólares. Apertei NÃO e a tela congelou. Tive de falar com a garota. Ela me disse para continuar apertando o botão. Depois sugeriu que eu tentasse outra máquina. Eu já estava ficando nervosa, o cartão de embarque engasgou e a garota foi obrigada a escarafunchar ali com uma caneta promocional para retirá-lo. Finalmente me entregou o cartão, triunfante, com uma expressão de alface velha amassada. Segui para o controle de segurança, removi meu computador da sua capa, tirei meu gorro, o relógio e as botas e pus tudo numa bandeja com um saquinho plástico contendo pasta de dente, creme de rosas e um vidrinho de Powerimmune, antes de passar pelo detector de metais, recolher minhas coisas e entrar no avião para a Cidade do México.

Ficamos uma hora parados na pista, com a música "Shrimp Boats" grudada na minha cabeça. Comecei a me questionar. Por que fiquei tão irritada no check-in? Por que eu queria que a garota me desse o cartão de embarque?

Por que simplesmente não aceitei as coisas do jeito que elas são e fiz tudo sozinha? Estamos no século xxi; as coisas são diferentes. Estávamos prestes a decolar. Fui advertida por não ter colocado meu cinto de segurança. Eu havia esquecido de esconder o fato pondo meu casaco no colo. Detesto me sentir confinada, principalmente quando é para o meu próprio bem.

Cheguei à Cidade do México e peguei uma condução até o meu bairro. Fiz o registro no hotel e montei acampamento em um quarto no segundo andar com vista para um pequeno parque. O banheiro tinha uma janela grande e notei que as mesmas pessoas que eu via lá embaixo estavam olhando para mim. Fui almoçar tarde, não vendo a hora de comer comida mexicana, mas o cardápio do hotel era dominado pela culinária japonesa. Foi confuso, mas estranhamente combinou com meu senso de lugar: ler Murakami num hotel mexicano especializado em sushi. Decidi pedir tacos de camarão com molho de wasabi e uma dose de tequila. Depois saí à rua e percebi que estava na avenida Veracruz, o que me deu esperança de encontrar um bom café. Andando pela rua passei por uma vitrine cheia de mãos de gesso cor de pele. Percebi que estava onde deveria estar, ainda que as coisas parecessem meio esquisitas, como um desenho do Mandrake, o Mágico nos quadrinhos do jornal de domingo.

O crepúsculo se aproximava. Saí andando por ruas arborizadas, passando por fileiras de trailers de tacos e bancas de jornal vendendo revistas de luta-livre, flores e bilhetes de loteria. Estava cansada, mas parei no parque do outro lado da avenida Veracruz. Um vira-lata amarelo de porte médio se soltou do dono e quase pulou em cima de mim. Senti que seria tragada por seus olhos castanhos e profundos. O dono logo retomou o controle, mas o cão continuou lutando para manter os olhos em mim. Como é fácil se apaixonar por um animal, ponderei. De repente eu me senti exausta. Estava acordada desde as cinco da manhã. Voltei ao meu quarto, que tinha sido arrumado na minha ausência. Minhas roupas estavam cuidadosamente dobradas e as meias sujas, de molho na pia. Pulei na cama ainda totalmente vestida. Visualizei o cachorro amarelo e fiquei imaginando se o veria de novo. Fechei os olhos e apaguei lentamente. O som de alguém falando por um megafone distorcido me trouxe de volta. Palavras desencarnadas levadas pelo vento e aterrissando no parapeito da minha janela como um pombo-correio alucinado. Passava da meia-noite, uma hora estranha para se falar em um megafone.

Acordei tarde e tive que me apressar, pois havia sido convidada para ir à embaixada dos Estados Unidos. Tomamos café morno e entabulamos uma conversa cultural parcialmente bem-sucedida. Mas o que me abalou foi o que um estagiário disse um pouco antes do meu carro partir. Dois jornalistas, um cameraman e uma criança haviam sido assassinados em Veracruz na noite anterior. A mulher e a criança foram estranguladas e os dois homens, estripados. Uma desconcertante imagem do cameraman jogado numa cova rasa passou pela minha visão; ele sentado no escuro, percebendo que o cobertor era feito de terra.

Eu estava com fome. Almocei o que pode ser genericamente definido como *huevos rancheros* em um lugar chamado Café Bohemia. Uma tigela de *tortilla chips* gordurosas, com ovos fritos e molho verde, mas comi assim mesmo. O café estava morno e tinha um travo de chocolate. Desenterrei umas poucas palavras em espanhol e consegui juntar *más caliente*. O jovem garçom sorriu e me trouxe outro, uma perfeita xícara de café quente.

Naquela noite fiquei sentada no parque, tomando suco de melancia num copo de papel cônico que comprei de um vendedor de rua. Qualquer criança dando risada me fazia pensar na criança assassinada. Cada cachorro que latia era o vira-lata amarelo aos meus olhos. De volta ao quarto, eu podia ouvir tudo o que acontecia lá embaixo. Cantei pequenas canções para os passarinhos no peitoril da minha janela. Cantei para os jornalistas, para o cameraman e a mulher e a criança assassinados em Veracruz. Cantei para aqueles deixados apodrecendo nas valas, aterros e depósitos de lixo, como inspiração para uma história de Bolaño que ele já tinha considerado. A lua era o holofote da natureza nos rostos luminosos das pessoas que se reuniam no parque lá embaixo. As risadas subiam com a brisa, e por um breve instante não havia tristeza nem sofrimento, só unidade.

O *Crônica do pássaro de corda* estava na cama ao meu lado, mas não abri o livro. Em vez disso, pensei sobre as fotografias que iria tirar em Coyoacán. Adormeci e comecei a sonhar que tinha uma coordenação perfeita e reflexos rápidos. Acordei de repente, incapaz de me mexer. Minhas tripas explodindo, vômito voando pelo lençol, acompanhado de uma terrível enxaqueca. Fiquei deitada, incapaz de me levantar. Instintivamente, tateei em busca dos meus óculos. Felizmente estavam limpos.

Quando amanheceu, consegui pegar o telefone e informar a recepção de que eu estava muito doente e precisava de ajuda. Uma camareira veio ao meu quarto e mandou trazerem um remédio. Ela ajudou a me despir e me limpar, lavando o banheiro e trocando a roupa de cama. Minha gratidão àquela mulher era além da conta. Ela cantava enquanto enxaguava minhas roupas, pendurando-as no parapeito. Minha cabeça continuava latejando. Fiquei segurando a mão dela. Com seu rosto pairando sobre o meu, adormeci e caí num sono profundo.

Abri os olhos e imaginei estar vendo a camareira sentada numa cadeira ao meu lado num acesso de riso histérico. Ela acenava com várias páginas do manuscrito que eu havia guardado embaixo do travesseiro. Não gostei nada daquilo. Não só ela estava lendo minhas páginas, como também elas estavam escritas em espanhol, aparentemente com a minha letra, ainda que incompreensível para mim. Pensei no que havia escrito e não consegui imaginar o que poderia ter provocado tantas gargalhadas.

— O que é tão engraçado? — exigi saber, apesar de sentir cada vez mais vontade de rir com ela, pois sua risada era contagiante.

— É um poema — ela respondeu. — Um poema totalmente sem poesia.

Fiquei atônita. Aquilo era bom ou ruim? Ela deixou minhas páginas caírem no chão. Levantei e fui atrás dela até a janela. Ela puxou uma corda fina amarrada a um saco de estopa com um pombo se debatendo dentro dele.

— O jantar! — ela bradou triunfante, jogando o saco por cima do ombro.

Enquanto andava em direção à porta, ela pareceu ficar cada vez menor, saindo do vestido, do tamanho de uma criança. Corri até a janela e a vi atravessar a avenida Veracruz. Fiquei ali, perplexa. O ar estava perfeito, parecendo leite saído do seio da grande mãe. Leite que poderia ser mamado por todos os seus filhos — os bebês de Juárez, do Harlem, de Belfast, de Bangladesh. Continuei ouvindo a camareira dando risada, pequenos sons borbulhantes que se materializavam como fragmentos transparentes, como desejos de outro mundo.

De manhã, pude avaliar como estava me sentindo. Parecia que o pior tinha passado, mas ainda estava fraca e desidratada, e a dor de cabeça tinha migrado para a base do crânio. Quando meu carro chegou para me levar à Casa Azul, fiquei na expectativa de que ele fosse me esperar ali até eu terminar o que precisava fazer. Quando a diretora me recebeu, pensei em mim ainda jovem, em frente àquela porta que não se abria.

Apesar de agora ser um museu, a Casa Azul mantém a atmosfera viva dos dois grandes artistas. No estúdio deixaram tudo preparado para mim. Os vestidos e os corpetes de couro de Frida Kahlo estavam dispostos em papel branco. Seus vidros de remédios sobre uma mesa, as muletas encostadas na parede. De repente me senti zonza e enjoada, mas consegui fazer alguns registros. Fotografei rapidamente na luz baixa, guardando as Polaroid no bolso.

Fui levada ao quarto de Frida. Acima do seu travesseiro havia um arranjo feito com borboletas para que ela pudesse olhar deitada na cama. Um presente do escultor Isamu Noguchi, com a intenção de lhe dar algo bonito para ver depois de ela ter perdido sua perna. Tirei uma foto da cama onde ela tanto sofreu.

Não conseguia mais esconder o quanto me sentia doente. A diretora me deu um copo de água. Sentei no jardim com a cabeça entre as mãos. Eu me sentia fraca. Depois de conferenciar com os colegas, a diretora insistiu que eu descansasse no quarto do Diego. Tentei protestar, mas não conseguia falar. Era uma cama de madeira modesta, forrada por uma colcha branca. Deixei minha câmera e a pequena pilha de fotos no chão. Duas mulheres alinhavavam uma grande toalha de musselina na entrada do quarto. Me recostei e tirei a película das fotos, mas não consegui olhar para elas. Fiquei pensando em Frida. Eu podia sentir sua proximidade, captar seu resiliente sofrimento aliado ao seu entusiasmo revolucionário. Ela e Diego foram meus mestres secretos aos dezesseis anos. Eu fazia tranças no cabelo como Frida, usava um chapéu de palha como Diego, e agora tinha tocado nos vestidos dela e estava deitada na cama dele. Uma das mulheres entrou e me cobriu com um xale. O quarto era naturalmente escuro, e felizmente consegui pegar no sono.

A diretora me acordou delicadamente, com uma expressão preocupada.

— As pessoas vão chegar logo mais.

— Não se preocupe, eu já estou bem — respondi. — Mas vou precisar de uma cadeira.

Levantei, calcei minhas botas e recolhi minhas fotografias: o contorno das muletas de Frida, a cama dela e o fantasma de uma escadaria. Irradiavam uma atmosfera doentia. Naquela noite, fiquei frente a frente com quase duzentos convidados no jardim. Mal saberia dizer sobre o que falei, mas no final cantei com eles, assim como tinha cantado com os passarinhos na minha janela. Foi uma canção que me ocorreu quando estava na cama de Diego. Era sobre as borboletas que Noguchi havia dado à Frida. Vi lágrimas escorrendo pelo rosto da diretora e das mulheres que tinham cuidado de mim com tanto carinho. Rostos de que já não me lembro mais.

Naquela mesma noite houve uma festa no parque em frente ao meu hotel. Minha dor de cabeça tinha passado totalmente. Fiz as malas e olhei pela janela. As árvores estavam enfeitadas com luzinhas de Natal, embora estivéssemos no dia 7 de maio. Desci até o bar e tomei uma dose de tequila bem jovem. O bar estava vazio, pois quase todo mundo estava no parque. Fiquei muito tempo lá. O barman reabastecia o meu copo. A tequila era leve, parecia um suco de flor. Fechei os olhos e vi um trem verde com um M dentro de um círculo; um ver-de-claro como o dorso de um louva-deus.

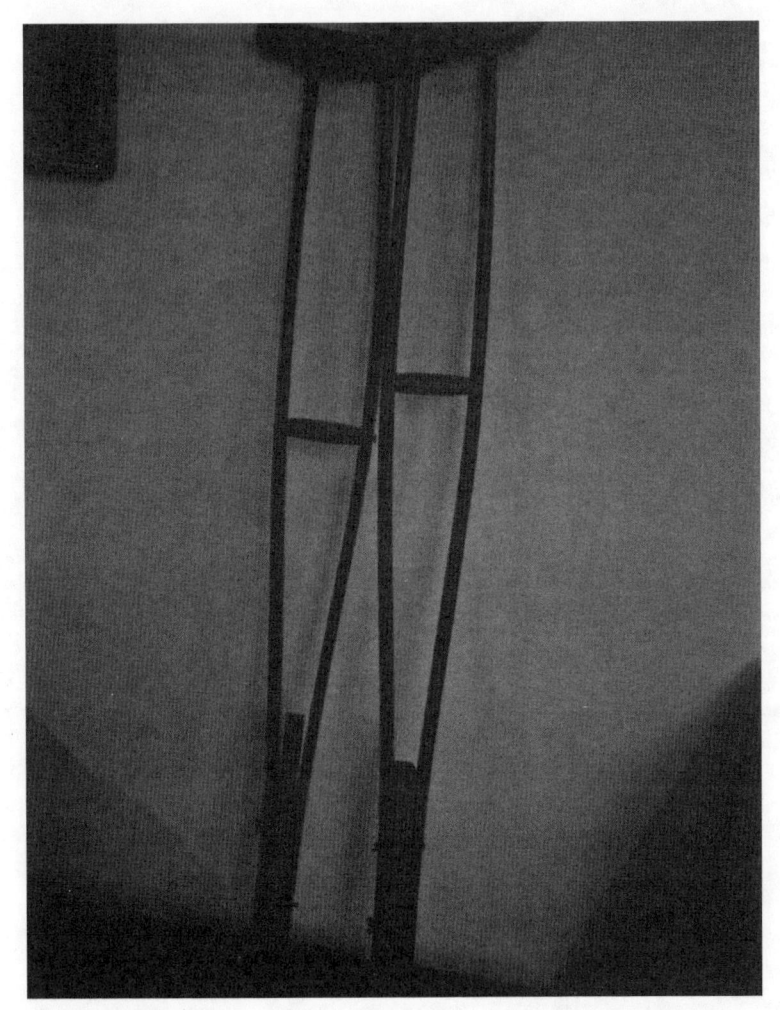

Muletas de Frida Kahlo, Casa Azul.

Vestido, Casa Azul.

Como perdi o pássaro de corda

Recebi um recado de Zak. Seu café na praia já estava funcionando. Todo café que eu desejasse de graça. Fiquei feliz por ele, mas hesitei em ir até lá, pois era o fim de semana do Memorial Day. A cidade estava deserta, do jeito que eu gosto, e no domingo seria exibido um novo episódio de *The Killing*. Resolvi passar o fim de semana na cidade com os detetives Linden e Holder, e conhecer o café de Zak na segunda-feira. Meu quarto estava uma bagunça total, eu andava mais desleixada do que o normal, pronta para a parceria com a infelicidade mútua dos dois agentes da lei, bebericando café frio num carro velho durante uma tocaia sombria que também esfriava até não dar em nada. Enchi minha garrafa térmica no mercadinho coreano, deixei ao lado da cama para mais tarde, escolhi um livro e fui andando até Bedford Street.

O Café 'Ino estava vazio, por isso me sentei feliz para ler *O jovem Törless*, um romance de Robert Musil. Fiquei refletindo sobre o parágrafo de abertura: "Era uma pequena estação na longa estrada de ferro para a Rússia", fascinada pelo poder de uma frase comum que despercebidamente leva o leitor a intermináveis plantações de trigo se abrindo em um caminho que conduz ao covil de um predador sádico contemplando o assassinato de um garoto imaculado.

Li a tarde toda, sem fazer mais nada. O cozinheiro fritava alho e cantava uma música em espanhol.

— Qual é o tema dessa música? — perguntei.

— É a morte — ele respondeu com uma risada. — Mas não se preocupe, ninguém morre, é sobre a morte do amor.

No Memorial Day eu acordei cedo, arrumei meu quarto e enchi uma sacola com o que precisava — óculos escuros, água alcalina, um biscoito de cereais e meu *Crônica do pássaro de corda*. Na estação da rua 4 Oeste tomei o trem até Broad Channel e fiz minha conexão; demorou 55 minutos. O café de Zak era o único na solitária área de concessão do enorme calçadão ao longo da Rockaway Beach. Zak ficou contente em me ver e me apresentou a todo mundo. Depois, como prometido, me serviu café sem cobrar nada. Fiquei tomando o café, preto, observando as pessoas. A atmosfera era feliz e relaxada, com uma amigável mistura de surfistas descontraídos e famílias da classe trabalhadora. Fiquei surpresa ao ver meu amigo Klaus vindo em minha direção numa bicicleta. Ele estava de camisa e gravata.

— Eu estava em Berlim visitando meu pai — falou. — Acabei de chegar do aeroporto.

— É, o JFK é bem perto daqui — eu ri, vendo um avião voar baixo para aterrissar.

Sentamos num banco e ficamos olhando as criancinhas brincando nas ondas.

— A principal praia de surfistas fica a cinco quarteirões, perto do quebra-mar.

— Parece que você conhece bem a região.

De repente Klaus ficou sério.

— Você não vai acreditar, mas eu acabei de comprar uma velha casa vitoriana aqui, perto da baía. Tem um quintal enorme e estou plantando um jardim bem grande. Algo que nunca poderia fazer em Berlim ou em Manhattan.

Atravessamos o calçadão e Klaus pediu um café.

— Você conhece o Zak?

— Todo mundo conhece todo mundo — ele respondeu. — Aqui é uma verdadeira comunidade.

Nos despedimos e eu prometi voltar em breve para conhecer a casa e o jardim dele. A verdade é que eu estava me apaixonando rapidamente por aquele lugar, com suas intermináveis calçadas e casas de tijolos dando para a praia. Sempre adorei o mar, mas nunca aprendi a nadar. Talvez a única vez em que me vi submersa na água tenha sido durante as involuntárias convulsões do batismo. Quase uma década depois, a epidemia de pólio estava a pleno vapor. Como eu era uma criança de saúde frágil, não podia ir a lagos ou piscinas com outras crianças, pois se pensava que o vírus era transmitido pela água. Meu único respiro era o mar, pois ali eu tinha permissão para caminhar e farrear perto da sua beira. Com o tempo, por uma questão de autopreservação, desenvolvi um medo da água, que se expandiu para medo de imersão.

Fred também não sabia nadar. Ele dizia que os índios não nadavam. Mas ele adorava barcos.

Passávamos muito tempo observando velhos rebocadores, casas-barcos e traineiras de camarão. Ele gostava em especial dos barcos de madeira, e em uma de nossas excursões a Saginaw, em Michigan, encontramos um à venda: um Chris Craft Constellation do final dos anos 1950, sem garantias de ser navegável. Pagamos bem barato, o guinchamos até em casa e o estacionamos no nosso quintal, com vista para o canal que desembocava no lago Saint Clair. Eu não me interessava por barcos, mas trabalhei ao lado de Fred lixando o casco, limpando a cabine, encerando e envernizando a madeira e costurando cortininhas para as janelas. Nas noites de domingo, ficávamos na cabine com minha garrafa térmica de café e meia dúzia de Budweiser para Fred, ouvindo os jogos do Tigers. Eu sabia pouco de beisebol, mas a devoção de Fred por seu time de Detroit me obrigou a aprender as regras básicas do esporte e conhecer os jogadores do nosso time e dos rivais. Quando era jovem, Fred fora chamado para uma vaga na posição de interbases do time de base do Tigers. Ele tinha um bom braço, que preferiu usar como guitarrista, mas seu amor pelo esporte nunca diminuiu.

Acontece que nosso barco de madeira estava com um eixo quebrado, e nunca tivemos recursos para consertá-lo. Fomos aconselhados a vendê-lo para um ferro-velho, mas não fizemos isso. Para diversão dos nossos vizinhos, resolvemos manter o barco onde se encontrava, no melhor pedaço do nosso quintal. Pensamos sobre um nome para a embarcação, e finalmente escolhemos *Nawader*, uma palavra árabe aplicada a coisas raras, extraída de um trecho de *Women of Cairo*, de Gérard de Nerval. No inverno nós o cobríamos com uma lona pesada, e quando a temporada de beisebol recomeçava nós tirávamos a lona para ouvir os jogos do Tigers em um radinho de pi-

lha. Quando o jogo atrasava, ficávamos ouvindo fitas cassete num aparelho de som portátil. Nada cantado, geralmente alguma coisa de Coltrane, como *Olé* ou *Live at Birdland*. Nas raras ocasiões em que o jogo era suspenso por causa da chuva, mudávamos para Beethoven, por quem Fred tinha uma admiração em particular. Primeiro uma sonata de piano, depois, com a chuva ainda caindo, eu e Fred ouvíamos a sinfonia *Pastoral*, seguindo o grande compositor numa caminhada épica no campo para ouvir o canto dos pássaros nos bosques de Viena.

Quando a temporada de beisebol estava chegando ao fim, Fred me surpreendeu com uma jaqueta oficial azul e laranja do Detroit Tigers. Era começo de outono, meio friozinho. Fred adormecia no sofá e eu vestia a jaqueta e saía para o quintal. Pegava uma pera que caía da nossa árvore, a limpava na manga e sentava numa espreguiçadeira de madeira sob o luar. Fechando o zíper da minha jaqueta nova, eu sentia o prazer de uma jovem atleta sendo convocada para o time da faculdade. Dando uma mordida na pera, eu me imaginava como uma jovem lançadora, saindo do nada, tirando o Chicago Cubs de seu longo jejum com uma sequência de 32 vitórias. Uma vitória a mais do que Denny McClain.

Numa tarde de veranico, o céu assumiu uma tonalidade verde-amarelada. Abri nossa sacada para olhar mais de perto; eu nunca tinha visto coisa igual. De repente o céu escureceu; um grande relâmpago inundou nosso quarto com uma luz ofuscante. Por um instante tudo ficou em um silêncio total, seguido por um som ensurdecedor. O relâmpago tinha atingido e derrubado o nosso salgueiro-chorão. Era o salgueiro mais antigo das praias de Saint Clair, com sua copa se estendendo da beira do canal até o outro lado da rua. Na queda, seu corpo maciço esmagou nosso *Nawader*. Fred estava em frente à porta de tela e eu na janela. Vimos aquilo acontecer no mesmo momento, ligados eletricamente como uma só consciência.

Peguei minhas botas e estava admirando o calçadão, uma infinidade de madeira teca, quando de repente Zak apareceu com um café grande para viagem. Ficamos lá olhando para o mar. O sol estava se pondo e o céu ganhou uma cor rosa pálido.

— A gente se vê em breve — falei. — Talvez bem em breve.

— É, este lugar entra na alma.

Dei uma olhada nos surfistas e fiquei pra cima e pra baixo nas ruas entre o mar e o trem elevado. Enquanto caminhava para a estação, fui atraída para um pequeno terreno rodeado por uma cerca alta castigada pelo clima. Lembrava a paliçada que defendia fortes como o Álamo, que eu construía com meu irmão quando éramos garotos. O restos de uma proteção contra ciclones erguia-se acima das estacas e vi um cartaz escrito à mão amarrado à cerca por um fio branco dizendo VENDE-SE, TRATAR COM O PROPRIETÁRIO. A cerca era muito alta para ver o que havia atrás, por isso fiquei na ponta dos pés e dei uma olhada por uma tábua rachada, como se fosse um buraco na parede de um museu para apreciar *Étant donnés* — o último bastião de Marcel Duchamp.

O terreno tinha cerca de sete metros de frente por uns trinta de fundo, o lote padrão para operários de construção que trabalharam no parque de diversões no começo do século xx. Alguns improvisavam suas casas, poucas sobreviviam. Localizei outro ponto vulnerável na cerca e olhei mais de perto. O pequeno quintal estava coberto de mato, generosamente lotado de entulhos enferrujando, pilhas de pneus, e um barco de pesca em um trailer velho quase cobrindo a visão do bangalô. Tentei ler no trem, mas não consegui me

Salgueiros, margens de Saint Clair.

concentrar, eu estava tão impressionada com Rockaway Beach e o bangalô caindo aos pedaços atrás da cerca de madeira capenga que não conseguia pensar em mais nada.

Alguns dias depois eu estava andando a esmo, quando de repente percebi que me encontrava em Chinatown. Eu devia estar devaneando, pois fiquei surpresa quando passei por uma vitrine com carcaças de patos penduradas. Estava precisando muito de um café, por isso entrei num pequeno café e me acomodei. Infelizmente o Café Silver Moon não era um café, mas assim que entrei ali foi quase impossível sair. As mesas de madeira e o assoalho eram impregnados de chá, e uma fragrância suave pairava no ar. Havia um relógio sem o ponteiro das horas e um retrato esmaecido de um astronauta numa moldura de plástico azul-bebê. Não havia cardápio, só um cartão laminado mostrando quatro pratos que pareciam pães no vapor de aspecto quase idêntico, cada um com um quadradinho em relevo no meio, vermelho, azul ou prateado, como lacres de cera esmaecidos. Quanto aos recheios, eram como um lance de dados.

Fiquei decepcionada, pois estava morrendo de vontade de tomar um café, mas não consegui ir embora. O aroma de oolong parecia exercer o efeito dos campos de papoula de Oz. Uma senhora cutucou meu ombro e eu falei: Combo. Ela murmurou alguma coisa em chinês e saiu. Um atento cachorrinho embaixo de uma mesa observava os movimentos de um velho com um ioiô. Ele tentava atrair o cachorro com sua habilidade, mas o cãozinho virava a cabeça para o outro lado. Tentei não olhar o movimento do ioiô no fio, para cima e para baixo e depois para os lados.

Devo ter cochilado, pois quando abri os olhos vi diante de mim um copo de oolong e três pãezinhos numa bandejinha de bambu. O pãozinho do meio tinha um carimbo azul-claro. Não fazia ideia do que significava aquilo, mas resolvi deixar para o fim. Os dois ao lado eram saborosos. Mas o recheio do pãozinho do meio foi uma revelação — uma pasta de feijão-vermelho de equilibrada textura cujo sabor pairou em minha boca. Paguei a conta e a senhora virou o cartaz Aberto na porta assim que saí, apesar de ainda haver clientes lá dentro, inclusive o cachorrinho e o ioiô. Tive a nítida impressão de que se eu voltasse não encontraria mais sinais da Silver Moon.

Ainda precisando tomar um café, parei no Atlas Café e andei até a Canal Street para pegar o metrô. Comprei um cartão do metrô numa máquina, já sabendo que ia acabar perdendo. Sempre preferi bilhetes normais, mas hoje em dia eles não existem mais. Esperei mais ou menos uns dez minutos antes de embarcar no expresso para Rockaways, sentindo-me estranhamente animada. Meu cérebro estava acelerado, numa velocidade que não podia ser traduzida em mera linguagem. O metrô estava bem vazio, o que era bom, pois passei a maior parte da viagem me interrogando. Quando chegamos a Broad Channel, a duas paradas de Rockaway Beach, eu já sabia o que ia fazer.

Parei em frente à cerca na ponta dos pés e espiei pela tábua quebrada. Diversos tipos de lembranças distintas entraram em colisão. Terrenos baldios joelhos esfolados estações de trens andarilhos místicos moradias proibidas, porém maravilhosas de anjos míticos de ferro-velho. Eu havia sido seduzida recentemente por um pedaço de terra abandonado descrito nas páginas de um livro, mas isso era real. O cartaz VENDE-SE, TRATAR COM O PROPRIETÁRIO irradiava como o sinal elétrico que o Lobo da Estepe encontra durante um passeio noturno solitário. "Teatro Mágico. Entrada para raros. Apenas para loucos!" De alguma forma os dois signos pareciam inequívocos. Anotei o número do vendedor num pedaço de papel, andei pela rua até o café do Zak e pedi um café preto grande. Fiquei sentada num banco no calçadão por um bom tempo, olhando para o mar.

Aquele lugar tinha me encantado completamente, lançando um feitiço que se originava muito mais no passado do que eu conseguia lembrar. Pensei no misterioso pássaro de corda. Foi você que me trouxe aqui? Será? Perto do mar, apesar de eu não saber nadar. Perto do metrô, já que não sei dirigir. O calçadão ecoava uma juventude passada em South Jersey e seus calçadões — Wildwood, Atlantic City, Ocean City — mais ativos, mas não tão bonitos. Parecia o lugar perfeito, sem outdoors e com alguns poucos cartazes comerciais transgressores. E o bangalô escondido! Com que rapidez aquilo me encantou. Imaginei a transformação. Um lugar para pensar, fazer espaguete, preparar café, um lugar para escrever.

Quando voltei para casa, examinei o número que tinha escrito no pedaço de papel, mas não consegui ligar. Deixei-o na minha mesinha de cabeceira em frente ao meu aparelho de TV, um estranho talismã. Finalmente liguei para meu amigo Klaus e pedi para ele ligar por mim. Suponho que uma parte de mim temesse que o lugar não estivesse realmente à venda, que alguém já tivesse comprado.

— Claro — ele respondeu. — Vou falar com o proprietário e saber os detalhes. Seria maravilhoso se nos tornássemos vizinhos. Já estou reformando a minha casa e ela fica só a dez quarteirões do bangalô.

Klaus sonhava com um jardim e encontrou seu pedaço de terra. Eu acho que sonhava exatamente com aquele lugar sem saber. O pássaro de corda tinha despertado um desejo antigo, porém recorrente — um sonho tão antigo quanto aquele café dos meus sonhos —, viver perto do mar com meu próprio jardim maltrapilho.

Alguns dias depois a nora do proprietário, uma jovem bem-humorada com dois filhinhos, me encontrou em frente à velha cerca fechada. Não pudemos entrar pelo portão, pois, por questão de segurança, o dono havia colocado um cadeado. Klaus já tinha me passado todas as informações de que eu precisava. Por conta de seu estado e alguns impostos atrasados, a casa não poderia ser financiada, por isso o comprador teria de pagar à vista. Outros possíveis compradores, em busca de um bom negócio, haviam oferecido preços muito abaixo do valor dela. Discutimos um preço justo. Eu disse que precisaria de três meses para levantar o dinheiro, e depois de algumas conversas com o dono, chegamos a um acordo.

— Eu vou trabalhar durante todo o verão. Quando voltar, em setembro, já vou ter a quantia necessária. Imagino que teremos de confiar uns nos outros — expliquei.

Trocamos um aperto de mãos. Ela retirou o cartaz VENDE-SE, TRATAR COM O PROPRIETÁRIO e se despediu com um aceno. Apesar de não ter conseguido ver a casa por dentro, eu não tinha dúvida de ter tomado a decisão certa. Eu preservaria o que encontrasse de bom, e transformaria o que não fosse.

— Eu já amo você — disse para a casa.

Sentei à minha mesa de canto sonhando com o bangalô. Pelos meus cálculos, eu teria a quantia necessária para comprar a propriedade no Dia do Trabalho. Eu já estava com um bom volume de trabalho, e aceitaria qualquer

outro que conseguisse entre meados de junho e agosto. Eu tinha um itinerário diversificado de leituras, performances, concertos e conferências. Enfiei meu manuscrito numa pasta, meus guardanapos anotados num grande saco plástico, embrulhei minha câmera num pedaço de pano e deixei tudo guardado. Arrumei minha malinha de metal e tomei um avião rumo a Londres para uma noite de serviço de quarto e detetives da ITV3. Depois segui para Brighton, Leeds, Glasgow, Edimburgo, Amsterdam, Viena, Berlim, Lausanne, Barcelona, Bruxelas, Bilbao e Bolonha. De lá fui para Gothenburg e embarquei numa pequena turnê de concertos pela Escandinávia. Mergulhei contente no trabalho, tomando o cuidado de me adaptar à onda de calor que me perseguia fielmente. À noite, incapaz de dormir, concluí um prefácio para *Astragal*, uma monografia sobre William Blake e algumas meditações sobre Yves Klein e

Francesca Woodman. De vez em quando eu voltava para o meu poema de Bolaño, ainda pairando entre 96 e 104 versos. Isso se tornou uma espécie de passatempo, do tipo doloroso e sem um resultado final. Como seria mais fácil se eu simplesmente montasse pequenos aeromodelos, aplicando minúsculos decalques e pinceladas de esmalte.

Voltei no início de setembro, um tanto cansada, mas bastante satisfeita. Tinha cumprido minha missão, e perdido apenas um par de óculos. Ainda tinha um último compromisso em Monterrey, no México, e depois poderia tirar uma folga havia muito necessária. Eu estava entre várias palestrantes em um fórum de mulheres para mulheres, ativistas sérias cujo trabalho eu mal conseguia entender. Me sentia intimidada na presença delas, e me perguntava de que forma poderia ser útil. Li poemas, cantei algumas músicas e as fiz rir.

De manhã, algumas de nós passamos por dois postos de controle da polícia em La Huasteca e chegamos a um cânion protegido por uma cerca de cordas na base de um penhasco íngreme. Era um lugar de tirar o fôlego, ainda que perigoso, e nos sentimos simplesmente maravilhadas. Fiz uma prece para a montanha coberta de musgo, antes de ser atraída para uma pequena luminosidade retangular a uns seis metros de distância. Era uma pedra branca. Na verdade, era mais uma tabuleta que uma pedra, cor de papel almaço, como que esperando que outro mandamento fosse lavrado em sua superfície polida. Andei até lá e, sem hesitar, a peguei e guardei no bolso do meu casaco, como se estivesse escrito que eu deveria fazer isso.

Achei que poderia levar a força da montanha para minha casinha. Senti uma afeição instantânea pela pedra, e mantinha a mão no bolso para tocá-la, um missal de calcário. Só mais tarde, quando um inspetor da alfândega confiscou minha pedra no aeroporto, percebi que não tinha perguntado à montanha se eu podia ficar com a pedra. Soberba, lamentei, pura soberba. O inspetor explicou com firmeza que aquilo podia ser utilizado como uma arma. É uma pedra sagrada, falei, implorando para ele não jogar fora, o que ele fez sem hesitar. Fiquei profundamente chateada. Tinha tirado um lindo objeto, formado pela natureza, de seu habitat, para ser jogado num saco de lixo de segurança.

Quando desembarquei para trocar de avião em Houston, fui ao banheiro. Ainda levando *Crônica do pássaro de corda* ao lado de um exemplar da revista *Dwell*. Larguei ambos sobre uma superfície de aço inoxidável do lado direito do vaso sanitário, notando a beleza daquele elemento, mas quando embarquei percebi que estava de mãos vazias. Fiquei muito triste. Um exemplar de capa mole todo anotado, manchado de café e azeite, meu companheiro de viagem e mascote de minha energia ressurgida.

A pedra e o livro: o que significava aquilo? Tirei a pedra da montanha e tiraram a pedra de mim. Uma espécie de equilíbrio moral, eu bem entendi. Mas a perda do livro parecia diferente, mais caprichosa. Por acidente eu tinha largado o cordão conectado ao poço de Murakami, o terreno baldio e a escultura do pássaro. Talvez por ter encontrado meu próprio lugar, e porque agora o local de Miyawaki poderia girar ao contrário, voltando alegremente ao mundo interligado de Murakami. O trabalho do pássaro de corda estava concluído.

Setembro estava terminando e já começava a esfriar. Eu estava andando pela Sexta Avenida e parei para comprar um gorro novo de um vendedor ambulante. Enquanto o punha na cabeça, um velho se aproximou. Seus olhos azuis ardiam e seu cabelo era branco como a neve. Notei que suas luvas de lã estavam puídas e que na mão esquerda havia um curativo.

— Me dá o dinheiro que você tem no bolso — disse ele.

Será que estou sendo testada, pensei, ou será que passei pelo portal de um conto de fadas moderno? Eu tinha uma nota de vinte e três notas de um, que pus na mão dele.

— Muito bem — ele disse depois de um momento, me devolvendo a nota de vinte.

Agradeci e continuei andando, mais leve que antes.

A rua estava cheia de gente apressada, parecendo consumidores de última hora na véspera do Natal. Eu não tinha reparado de início, e eles pareciam se multiplicar sem parar. Uma jovem passou por mim com uma braçada de flores. Ela deixou pairando um perfume estonteante que logo se dispersou, substituído por uma vertiginosa contenção. Eu me sentia consciente de tudo: um batimento cardíaco, o cheiro de uma melodia flutuando num conflito de brisas, a corrente humana voltando para casa.

Com três dólares a menos, porém mais rica em amor.

Os sinais eram positivos. A data limite para a conclusão do negócio era 4 de outubro. Meu corretor imobiliário tentou me dissuadir da compra do bangalô, por conta de seu estado precário e de um questionável valor de revenda. Ele não conseguiu compreender que na minha opinião aquelas características eram positivas. Alguns dias depois fiz o pagamento com a quantia que havia juntado e peguei a chave e a escritura de uma casinha inabitável num terreno mirrado, a alguns passos do trem e com o mar à esquerda.

A transformação do coração é uma coisa espantosa, não importa como se chega lá. Aqueci um pouco de feijão e comi depressa, fui andando até a estação da rua 4 Oeste e peguei o trem A para Rockaways. Pensei no meu irmão, nas horas que passamos montando pequenas fortalezas e cabanas em manhãs chuvosas. Éramos admiradores de Fess Parker, o nosso Davy Crockett. "Certifique-se de que você está certo e vá em frente" era sua máxima, que logo se tornaria a nossa. Era um bom sujeito, que valia muito mais que um figo podre. Nós o acompanhávamos como eu acompanho hoje a detetive Linden.

Desci em Broad Channel e tomei o expresso. Era um dia ameno de outubro. Adorei a caminhada entre a estação e a rua tranquila, a cada passo mais perto do mar. Não teria mais de ver o bangalô pela metade, por uma tábua quebrada. Ignorei o cartaz dizendo NÃO INVADIR e pela primeira vez entrei na minha casa. Vazia, a não ser por um violão de criança com as cordas quebradas e uma ferradura preta de borracha. Nada mal. Aposentos pequenos pia enferrujada teto abobadado cheiros de um século se misturando com aromas mofados de animais. Não posso dizer que fiquei muito tempo, pois o mofo e a umidade dispararam minha tosse, mas não esfriaram meu entusiasmo. Eu sabia exatamente o que fazer: uma sala grande, um ventilador girando, claraboias, uma pia antiga, uma mesa, alguns livros, um divã, piso de lajotas no estilo mexicano e um fogão. Sentei na minha varanda assimétrica e fiquei olhando meu quintal entremeado de resistentes dentes-de-leão com uma felicidade infantil. O vento aumentou e pude sentir o ar marinho. Tranquei a porta e ia fechando o portão, quando um gato de rua passou pela fresta. Desculpe, hoje não tem leite, só alegria. Parei diante da velha cerca fechada. Meu Álamo, falei, e a partir daquele momento minha casa ganhou um nome.

Depois da tempestade, Rockaway Beach.

O nome dele era Sandy

Havia uma promoção de abóboras na porta do mercadinho coreano. Dia das Bruxas. Tomei um café e fiquei olhando o céu. Uma tempestade se formava ao longe; eu podia sentir. A luz já estava baixa e prateada e tive um impulso repentino de ir até Rockaway para tirar algumas fotos da minha casa. Enquanto juntava algumas coisas, a providência trouxe meu amigo Jem à minha porta. De vez em quando ele aparece sem avisar, e isso sempre me deixa contente. Jem é cineasta, e estava com sua câmera Bolex 16 mm e um tripé portátil.

— Eu estava filmando aqui perto — ele falou. — Vamos tomar um café?

— Eu acabei de tomar, mas vamos até Rockaway Beach comigo. Você pode ver a minha casa e o calçadão de madeira mais bonito dos Estados Unidos.

Jem topou e eu peguei minha Polaroid. Tomamos o trem A e fomos botando a conversa em dia no caminho, escavando os problemas do mundo. Fizemos a conexão em Broad Channel, subimos a longa escadaria de metal para o trem elevado e andamos até a minha casa. Eu não precisava de um portal para entrar; eu tinha a chave em um velho pé de coelho que estava na gaveta da escrivaninha do meu pai.

— Você é minha — murmurei, abrindo a porta.

Havia pó demais para eu ficar muito tempo lá dentro, mas esbocei com gosto meus planos para a futura reforma enquanto Jem fazia algumas filmagens. Também tirei umas fotos e depois fomos até a praia.

A luz fria acima do mar estava rapidamente se esmaecendo. Fui até a beira da água e fiquei ao lado de algumas gaivotas que pareceram imperturbáveis com a minha presença. Jem montou o tripé e, com as costas curvadas, começou a filmar. Tirei uma foto dele e várias outras do calçadão vazio. Depois sentei num banco enquanto ele guardava o equipamento. No meio do caminho de volta percebi que tinha esquecido minha câmera no banco, mas as fotos estavam guardadas no meu bolso. Aquela não somente era minha única câmera, como também a minha favorita, pois tinha o fole azul e vinha me servindo muito bem. Era perturbador imaginá-la sozinha no banco, sem filme, incapaz de registrar sua passagem para as mãos de um estranho.

Eu e Jem nos despedimos quando o trem chegou à estação. Tem uma tempestade se aproximando, ele disse no momento em que as portas se fecharam. O céu já estava escuro quando cheguei à estação da rua 4 Oeste. Parei no Mamoun's e pedi um falafel para viagem. A atmosfera estava pesada e percebi que eu respirava com dificuldade. Cheguei em casa, pus um pouco de ração seca para os gatos, liguei em *CSI: Miami*, abaixei o volume e dormi ainda de casaco.

Acordei tarde, me sentindo apreensiva, com uma inquietação que me esforcei para amenizar. Disse a mim mesma que era por causa da tempestade que se aproximava. Mas no fundo eu sabia que era por alguma outra coisa, a época do ano, com sua dualidade emocional. Um período feliz para as crianças, marcando o falecimento de Fred.

Estava me sentindo irrequieta no 'Ino. Almocei uma sopa de feijão, mal tocando no meu café. Ponderei se seria um mau presságio ter esquecido minha câmera no calçadão. Pensei em voltar lá, esperando irracionalmente encontrá-la ainda no banco. Era um objeto ultrapassado, sem valor para a maioria das pessoas. Resolvi retornar a Rockaway e segui depressa para casa, tentando evitar uma sequência de imagens dos últimos dias de Fred. Joguei algumas coisas numa sacola e parei no mercado para comprar um bolinho de milho antes de pegar o trem.

O estado de espírito humano era frenético. Pessoas se amontoavam no mercadinho normalmente tranquilo, empilhando suprimentos, se preparando para uma iminente tempestade que tinha se dissipado nas últimas horas, elevando-se mais tarde à categoria de furacão 1, e que agora vinha em nossa direção. Eu estava num ritmo bem mais lento e de repente me senti acuada. Um plano costeiro de emergência estava sendo traçado, e ficamos ouvindo o radinho de pilha em cima da caixa registradora. Aviões não decolavam, os metrôs estavam fechando e uma evacuação em massa de áreas de perto da praia já estava em operação. Não havia como ir a Rockaway Beach hoje; não dava para ir a lugar nenhum.

Voltei para casa e conferi meus suprimentos — bastante ração para gatos, espaguete, algumas latas de sardinha, creme de amendoim e garrafas de água. Computador carregado, velas, fósforos, algumas lanternas e uma petulância de nascença que acabaria sendo desafiada. Ao anoitecer, a prefeitura desligou o nosso gás e a eletricidade. Sem luz, sem aquecimento. As temperaturas caíam, e fiquei na cama enrolada numa manta de lã com os três gatos. Eles sabem, pensei, assim como os pássaros do Iraque antes do *choque e espanto* do primeiro dia da primavera. Diziam que os pardais e os pássaros canoros pararam de cantar, o silêncio anunciava a queda das bombas.

Desde criança sempre fui muito sensível ao clima, conseguindo sentir a aproximação de uma tempestade e sua magnitude pela intensidade da dor em meus membros. A tempestade mais violenta que guardo na memória foi o furacão Hazel, que assolou a Costa Leste em 1954. Meu pai estava trabalhando no turno da noite e minha mãe, meu irmão e irmã se amontoaram embaixo da mesa da cozinha. Eu estava com enxaqueca e fui deitar no sofá. Minha mãe tinha pavor de tempestades, mas eu ficava entusiasmada, pois quando uma tempestade desabava, meu desconforto era substituído por uma espécie de euforia. Mas essa era diferente; o ar estava visivelmente carregado e eu me sentia enjoada e um pouco sem ar.

Uma enorme lua cheia despejava sua luz leitosa pela claraboia como uma escada de corda que se espalhava pelo meu tapete chinês e pela ponta da minha manta. Tudo estava parado. Eu lia com a ajuda de uma lanterna de pilha que projetava um arco-íris claro pelos objetos dispostos na estante de livros a menos de dois metros da minha cama. A chuva martelava a claraboia. Eu sentia a trepidação do final de outubro, amplificada pela lua cheia e por uma celebração de tempestades reunidas no mar.

Múltiplas forças convergentes pareciam trazer essas lembranças para o presente. Halloween. Dia de Todos os Santos. Dia de Finados. Dia da morte de Fred. Correndo por Detroit na manhã das travessuras ou gostosuras com Fred numa ambulância para o mesmo hospital onde nossos filhos tinham nascido. Voltando para casa sozinha depois da meia-noite debaixo de uma tempestade feroz. Fred não nasceu em um hospital. Nasceu durante uma tempestade elétrica na casa dos avós em Virgínia Ocidental. Relâmpagos riscavam o céu violáceo e a parteira não conseguiu chegar a tempo, então seu avô fez o parto na cozinha. Fred acreditava que, se chegasse a entrar num hospital, nunca mais sairia. Seu sangue indígena sentia essas coisas inexplicáveis.

Inundações repentinas, altos ventos, o canal transbordando. Eu e Jackson empilhando sacos de areia na porta do porão inundado, latões de lixo de metal e bicicletas retorcidas atulhando as ruas alagadas. Eu sentia Fred lutando pela vida no vento uivante. Um grande galho do nosso carvalho caiu na entrada da garagem, uma mensagem dele, do meu homem calado.

No Halloween, crianças resistentes usando capas por cima das fantasias corriam pelas ruas escuras e molhadas com sacos de doces. Nossa filhinha dormia de fantasia, acreditando que o pai veria a roupa dela quando voltasse pra casa mais tarde.

Desliguei a lanterna e fiquei ouvindo o vocal agudo dos ventos e da chuva que caía. A energia da tempestade drenou todas as lembranças daquele dia, uma sombria jornada outonal. Eu sentia Fred mais perto do que nunca. A claraboia vazava bastante. Era o momento dos rompimentos. Levantei no escuro, mudei meus livros de lugar e peguei um balde. A lua estava encoberta, mas eu a sentia, cheia e maciça, atraindo as marés e mesclando poderosas forças da natureza que iriam transformar nosso litoral em uma versão retorcida de si mesmo.

O nome dele era Sandy. Eu senti quando chegou, mas nunca consegui prever seu incrível poder e a terrível destruição que deixaria em sua passagem. Nos dias seguintes à tempestade eu continuei indo ao 'Ino, mesmo sabendo que estaria fechado, como tudo na nossa região. Sem gás nem eletricidade, por isso sem café, mas aquele era um hábito reconfortante que eu não queria romper.

No Dia de Todos os Santos, lembrei que era o aniversário de Alfred Wegener. Tentei dedicar parte de meus pensamentos a ele, mas eu estava mesmo com Rockaway. Recebia as notícias aos poucos. O calçadão tinha sido destruído. O café de Zak não existia mais. A linha de trem mutilada, suas tristes entranhas dilaceradas, milhares de fios recobertos de sal, vísceras expostas que não mais se movimentavam. As estradas estavam fechadas por período indefinido. Sem energia, sem gás nem eletricidade. Os ventos de novembro foram fortes. Centenas de casas foram incendiadas, milhares foram inundadas.

Mas minha casinha, construída cem anos atrás, ridicularizada por corretores imobiliários, condenada por inspetores e sem direito a seguro parecia ter aguentado firme. Apesar de gravemente danificado, meu Álamo tinha sobrevivido à primeira grande tempestade do século XXI.

Em meados de novembro viajei a Madri, fugindo dos sufocantes aspectos da passagem do Sandy, para visitar amigos que também tinham lá seus problemas. Levei comigo *Diário de um ladrão*, o hino de Genet à Espanha, e viajei de ônibus de Madri a Valência. Em Cartagena demos uma parada num restaurante chamado Juanita, em frente a outro restaurante, do outro lado de uma larga avenida, também chamado Juanita, um espelhava o outro, só que o do outro lado da avenida tinha uma pequena plataforma de carga e caminhões a diesel nos fundos. Eu estava no bar, tomando um café morno acompanhado de uma terrina de feijões marinados, aquecidos no provável primeiro micro-ondas da história, quando percebi um cara se aproximando. Ele abriu uma gasta carteira bordô e me mostrou um solitário bilhete de loteria com o número 46172. Não senti nenhum indício de que fosse um bilhete premiado, mas acabei pagando seis euros por ele, um preço alto para um bilhete de loteria. Depois ele sentou ao meu lado, pediu uma cerveja e uma porção de almôndegas frias, e pagou com os meus euros. Comemos juntos sem falar nada. Ao levantar, ele olhou bem para o meu rosto, sorriu e disse *buena suerte*. Retribuí o sorriso e desejei também sorte a ele.

Fiquei com a sensação de que meu bilhete nem teria validade, mas não me importei. Fui voluntariamente arrastada àquela cena, como uma personagem qualquer de um romance de B. Traven. Com sorte ou não, segui o papel que me foi designado: a otária que desce de um ônibus numa parada na estrada para Cartagena e cai no golpe para comprar um bilhete de loteria suspeito. Do jeito que encarei, quis o destino que um andarilho mal-ajambrado fizesse um repasto de almôndegas com cerveja quente ao meu lado. Ele fica feliz, eu me sinto em paz com o mundo — um bom negócio.

Quando voltei para o ônibus alguns passageiros me disseram que eu tinha pagado muito pelo bilhete. Eu disse que não tinha importância, que se ganhasse eu doaria o dinheiro do prêmio para os cães da região. Vou dar o dinheiro para os cachorros, falei bem alto, ou talvez para as gaivotas. Decidi que o prêmio iria para os pássaros, enquanto as pessoas discutiam como os cachorros conseguiriam gastar o dinheiro.

Mais tarde, no meu quarto, ouvi gaivotas gritando e vi duas delas mergulhando em direção às reentrâncias no cimo inclinado do grande telhado do meu terraço. Acreditei que estivessem copulando, ou sei lá qual termo se usa para uma trepada de pássaros, mas depois de um tempo elas ficaram em silêncio, então ou já estavam satisfeitas ou tinham morrido tentando. Fui atormentada por um mosquito terrível, mas afinal adormeci, mas acabei acordando às cinco da manhã. Saí para o terraço e olhei para o telhado inclinado que começava a ser banhado pela luz. Havia penas de gaivotas por toda parte, o suficiente para um elaborado cocar.

O número da loteria saiu no jornal da manhã. Nada para os cães nem para os pássaros.

— Você acha que pagou muito caro pelo bilhete? — alguém me perguntou durante o café da manhã.

Me servi de um pouco mais de café, peguei uma fatia de pão preto e a mergulhei num pratinho de azeite.

— Nunca se paga caro demais pela paz de espírito — respondi.

Nos amontoamos no ônibus e seguimos para Valência. Vários passageiros estavam participando de um protesto contra um projeto de demolição do bairro de El Cabanyal. Casas com telhados multicoloridos, cabanas de pescadores e bangalôs como o meu. Estruturas frágeis que não podem jamais ser substituídas, só pranteadas. Como borboletas que um dia simplesmente vão desaparecer. Ao me juntar a eles, senti a fúria orgulhosa de todos misturada a graus de impotência. Davi contra Golias em Valência. Eu estava começando a tossir de novo, hora de voltar para casa. Mas qual casa? Eu já começava a pensar no Álamo como meu lar. Mas ainda demoraria um bom tempo até estar habitável. Perseguida por imagens da costa devastada, o calçadão demolido, a majestosa montanha-russa flutuando nas ondas como o esqueleto de uma baleia, mais lamentável que a carcaça da Moby Dick, memória de alegres passeios de gerações de pessoas que gostam de se arriscar. Num trajeto assim tudo está no presente do indicativo, é fisicamente impossível olhar para trás.

Segui atormentada por um inventário de objetos flutuando, como carneirinhos que se contam para dormir. Mas eu estava além de qualquer coisa tão trivial como o sono. Abra os olhos, disse uma voz, saia desse torpor. O tempo voltou a se mover em círculos concêntricos. Acorde e grite, como os peixeiros das ruas da Bastilha. Levantei e abri a janela. Fui recebida pela mais doce das aragens. O que vai ser, revolução ou sonolência? Enrolei meu travesseiro numa bandeira proclamando *Salvem el Cabanyal* e me recolhi em mim mesma, buscando um consolo que só eu poderia me dar.

Voltei para casa alguns dias antes do Dia de Ação de Graças. Eu precisava encarar as mudanças em Rockaway. Fui de carro com Klaus até um abrigo no local montado sob uma tenda aquecida por um gerador. Meus futuros vizinhos: famílias, surfistas, funcionários públicos, apicultores independentes. Fiz uma caminhada pela praia, onde pilões de cimento se estendiam até onde a vista alcançava. Os suportes do calçadão de madeira. Ruínas romanas em Nova York, algo só imaginado pela cabeça de J. G. Ballard. Um velho cachorro preto se aproximou de mim. Ele parou e eu afaguei sua cabeça, como se fosse a coisa mais natural do mundo, e ficamos de frente para o mar, olhando as ondas chegarem e se afastarem.

Era um Dia de Ação de Graças perfeito. O tempo estava mais ameno do que o habitual e eu e Klaus fomos até o Álamo. Meus vizinhos tinham vedado as janelas quebradas, colocado um cadeado na porta quebrada e estendido uma bandeira americana em frente à casa.

— Por que eles fizeram isso?

— Para proteger de saqueadores. Para mostrar que tem gente protegendo a casa.

Klaus sabia a combinação e abriu o cadeado. O cheiro de mofo era tão insuportável que até fiquei meio tonta. A água tinha chegado a mais de um metro de altura e o piso molhado estava podre. Notei que a varanda tinha se inclinado e que meu quintal agora era um terreno baldio.

— Você continua de pé — falei com orgulho.

Senti uma coisa quente e granulosa. Cairo tinha vomitado na ponta do meu travesseiro. Sentei totalmente acordada, tentando me lembrar. Olhei para o relógio. Estava mais cedo que o de costume, nem seis horas ainda. Ah, sim, meu aniversário, ainda vagando entre o sono e a vigília.

Finalmente consegui meio que levantar. Encontrei um pequeno brinquedinho de gato deformado na minha bota. Olhei no espelho. Cortei as pontas das minhas tranças, que estavam parecendo palha de milho e guardei os fios ressecados num envelope pardo, sem dúvida uma evidência de DNA.

Como sempre, agradeci baixinho a meus pais pela minha vida, depois desci para dar comida aos gatos. Não conseguia acreditar que mais um ano estava terminando. Parecia que eu tinha acabado de estourar o balão prateado que anunciava o seu começo.

Fiquei surpresa quando a campainha da porta tocou. Era Klaus e seu amigo James. Eles estavam de carro e armados com flores, e insistiram para que fôssemos até a praia.

— Feliz aniversário! Venha até Rockaway com a gente — disseram.

— Eu não posso ir a lugar nenhum — protestei.

Mas a ideia de passar o dia do meu aniversário perto do mar era irrecusável. Peguei meu casaco e o gorro e fomos de carro até Rockaway Beach. Fazia um frio de lascar, mas demos uma parada na minha casa para dar um alô. A porta estava pregada, mas a bandeira continuava intacta. Um vizinho nos parou.

— Ela vai precisar ser demolida?

— Não, não se preocupe. Eu vou salvá-la.

Tirei uma foto e prometi voltar logo. Mas sabia que seria um longo inverno de espera, tão vasta era a destruição. Caminhamos pela rua onde Klaus morava. Bonecos de neve de isopor e sofás encharcados jaziam jogados no meio das bugigangas. O grande jardim de Klaus estava destruído; só algumas poucas árvores resistentes sobreviveram. Compramos donuts e café do único mercadinho ainda funcionando e eles cantaram parabéns para mim. Já de volta ao carro, passamos por montanhas de utensílios expelidos dos porões alagados. Como as Sete Colinas de Roma: a colina dos refrigeradores, dos fogões, dos lava-louças, dos colchões empilhados, como uma grande instalação em memória ao século xx.

Continuamos até Breezy Point, onde mais de duzentas casas haviam sido completamente queimadas. Árvores enegrecidas. Caminhos que levavam à praia obstruídos por teias industriais de fibras estranhas, pernas de bonecas espalhadas, louça estilhaçada. Como uma Dresden em miniatura, um pequeno palco recriando a arte da guerra. Mas não havia guerra nem inimigo. A natureza não sabe nada dessas coisas. Só está em consonância com os mensageiros.

Passei a hora do meu nascimento vendo Elvis Presley em *Estrela de fogo*, refletindo sobre o fim prematuro de alguns homens. Fred. Pollock. Coltrane. Todd. Eu já havia vivido bem mais do que eles. Fiquei pensando se um dia eles pareceriam garotos. Não estava com vontade de dormir, por isso fiz um café, vesti um moletom com capuz e sentei na varanda. Fiquei refletindo sobre o que significava ter 66 anos. O mesmo número da rodovia mais famosa dos Estados Unidos, a celebrada mãe de todas as estradas, que George Maharis — no papel de Buz Murdock — percorria ao atravessar o país em seu Corvette, trabalhando em traineiras e poços de petróleo, partindo corações e libertando viciados. Sessenta e seis, pensei, que se dane. Sentia minha cronologia se acumulando, a neve se aproximando. Podia sentir a lua, mas não conseguia vê-la. O céu estava encoberto por uma neblina pesada, iluminada pelas perenes luzes da cidade. Quando eu era garota o céu noturno era um grande mapa de constelações, uma cornucópia derramando a nuvem cristalina da Via Láctea em um campo cor de ébano; camadas de estrelas que se desdobravam exuberantes em minha mente.

Notei o tecido do meu macacão esgarçando na altura dos meus joelhos protuberantes. Continuo sendo a mesma pessoa, pensei, com todos os meus defeitos intactos, os mesmos joelhos ossudos, graças a Deus. Levantei com um estremecimento; hora de entrar. O telefone estava tocando, votos de feliz aniversário de um velho amigo ligando de longe. Quando me despedi, percebi que sentia saudade daquela versão específica de mim mesma, a versão febril, irreverente. Ela fluiu, com certeza. Antes de me deitar eu tirei uma carta do meu tarô — ás de espadas — força mental e coragem. Ótimo. Não devolvi a carta para o baralho, deixei-a virada na minha mesa de trabalho para que pudesse voltar a vê-la de manhã quando acordasse.

Vecchia Zimarra

Uma súbita lufada de vento sacode os galhos das árvores, espalhando um redemoinho de folhas que refletem a luminosidade de forma fantasmagórica. Folhas como vogais, sussurros de palavras como um alento livre. Folhas são vogais. Eu as espalho na esperança de encontrar as combinações que procuro. A linguagem dos deuses menores. Mas e o próprio Deus? Qual é a sua linguagem? Qual é o seu prazer? Será que ele mistura versos de Wordsworth, as frases musicais de Mendelssohn e vivencia a natureza como os gênios a concebem? Sobe a cortina. A ópera humana se desdobra. E na caixa reservada para os reis, mais trono que caixa, está o Todo-Poderoso.

Ele é saudado pelas saias rodadas de noviças cantando suas preces enquanto recitam o *Masnavi*. Seu filho é retratado como o adorado cordeiro e de novo como pastor em *Canção da inocência*. Em um trecho de Puccini de *La Bohème*, o empobrecido filósofo Colline, resignado a penhorar seu único casaco, canta a humilde ária "Vecchia Zimarra". Ele se despede de seu surrado, porém querido casaco, enquanto o imagina ascender à montanha da piedade, ao mesmo tempo que ele próprio continua caminhando pela terra amargurada. O Todo-Poderoso fecha os olhos. Bebe do poço do homem, saciando uma sede que ninguém pode compreender.

Eu tive um casaco preto. Um poeta me deu de presente alguns anos atrás, no meu aniversário de 57 anos. Era o casaco dele — um sobretudo puído e mal-ajambrado que eu cobiçava em segredo. Na manhã do meu aniversário ele me disse que não tinha um presente para me dar.

— Eu não preciso de presente nenhum — falei.

— Mas eu quero te dar alguma coisa, o que você quiser.

— Então eu quero o seu casaco preto — confessei.

Ele sorriu e me deu o casaco, sem hesitar nem lamentar. Cada vez que usava o casaco, eu me sentia eu mesma. As traças também gostaram, e ele ficou cheio de furinhos na barra, mas eu não me importava. Os bolsos estavam descosturados e eu perdia tudo que jogava naqueles sacos sem fundo. Toda manhã eu acordava, vestia meu casaco e o gorro, pegava caneta e caderno e ia para o meu café na Sexta Avenida. Eu adorava meu casaco e o café naquela rotina matinal. Era a expressão mais clara e simples da minha identidade solitária. Mas na atual onda de clima inclemente, prefiro outro casaco para me manter agasalhada e me proteger do vento. Meu casaco preto, mais apropriado para a primavera e o outono, saiu do meu consciente, e, nesse período relativamente curto, desapareceu.

Meu casaco preto se foi, desaparecido como o precioso anel de fraternidade que sumiu do dedo do místico em crise de *Viagem ao Oriente*, de Hermann Hesse. Continuo a procurá-lo por toda a parte, em vão, esperando que apareça como partículas de pó iluminadas por uma luz repentina. Logo depois, envergonhada de minhas choramingas infantis, penso em Bruno Schulz, preso no gueto judeu na Polônia, entregando furtivamente a única coisa preciosa que ele tinha para dar à humanidade: o manuscrito de *O messias*. A última obra de Bruno Schulz, sugada pelo refugo da Segunda Guerra Mundial. Coisas perdidas. Elas se agarram às membranas, tentando chamar a nossa atenção com um indecifrável pedido de socorro. Palavras despencam numa desordem impotente. Os mortos falam. Nós é que esquecemos de como ouvi-los. Você viu meu casaco? É preto e sem nenhum detalhe importante, com mangas puídas e a barra esgarçada. Você viu meu casaco? É o casaco da fala dos mortos.

Mu
(O nada)

Um jovem andava pela neve com um grande feixe de gravetos preso às costas por um pedaço de cipó. Ele estava curvado sob o peso, mas eu podia ouvi-lo assobiando. Às vezes um graveto caía do feixe e eu o apanhava. Os gravetos eram totalmente transparentes, então eu os preenchia com cor e textura e acrescentava alguns espinhos. Depois de certo tempo notei que não havia rastros na neve. Não havia sensação de para a frente ou para trás; só uma brancura salpicada aqui e ali por minúsculas gotas vermelhas.

Tentei mapear os frágeis salpicos, mas eles não paravam de se rearranjar, e quando abri os olhos eles se dissiparam completamente. Tateei em busca do controle remoto e liguei a TV, tomando cuidado para evitar programas de retrospectivas do ano ou projeções para o Ano-Novo. A monotonia tépida de uma maratona de *Law & Order* era exatamente o que eu precisava. Definitivamente o detetive Lennie Briscoe tinha voltado a beber e olhava para o fundo de um copo de scotch barato. Levantei, despejei um pouco de mescal num pequeno copo de água e sentei na beira da cama bebendo ao lado dele, observando num silêncio estupefato a reprise de uma reprise. Uma dose de Ano-Novo, um brinde à coisa nenhuma.

Imaginei meu casaco preto cutucando meu ombro.

— Desculpe, amigo velho — falei. — Eu bem que tentei te encontrar.

Chamei, mas não ouvi nada; diferentes comprimentos de onda se cruzavam e eliminavam qualquer esperança de sentir seu paradeiro. É o que acontece às vezes com os chamados e as respostas. Abraão ouviu o premente chamado do Senhor. Jane Eyre ouviu os gritos suplicantes do sr. Rochester. Mas eu estava surda ao meu casaco. O mais provável é que o tivesse jogado descuidadamente em uma montanha sobre rodas rumo ao Vale dos Perdidos.

Que bobagem, lamentar por um casaco, uma coisa tão pequena no grande plano. Mas não era só o casaco; era um inescapável peso reinando sobre tudo o mais, que talvez remetesse ao Sandy. Não posso mais tomar um trem para Rockaway, pegar um café e sair andando pelo calçadão, pois os trens não estão mais funcionando, nem o café ou o calçadão. Seis meses atrás rabisquei "Adoro o calçadão" numa página do meu caderno com a sinceridade efusiva de uma adolescente. Lá se foi o entusiasmo, aquela envolvente simplicidade inexplorada. E eu com saudade de como as coisas eram.

Desci para dar comida aos gatos, mas acabei parando no segundo andar. Mecanicamente peguei uma folha de papel de desenho da minha pasta e a colei na parede com fita crepe. Passei a mão por sua superfície. Era um belo papel de Florença, com a marca-d'água de um anjo no meio. Fuçando nos meus materiais de desenho, encontrei uma caixa de crayon Conté vermelhos e tentei reproduzir o estampado da paisagem do meu sonho na minha vigília. Lembrava uma ilha alongada. Vi que os gatos ficaram olhando enquanto eu desenhava. Depois fui até a cozinha, pus comida para eles, incluindo um petisco, e fiz um sanduíche de manteiga de amendoim para mim.

Voltei para o meu desenho, mas, visto de certos ângulos, ele não parecia mais uma ilha. Examinando a marca-d'água, mais para querubim que para anjo, me lembrei de outro desenho de algumas décadas atrás. Numa grande folha de papel Arches eu havia usado um estêncil para gravar "o anjo é minha marca-d'água", uma frase de *Primavera negra*, de Henry Miller. Logo depois desenhei um anjo, rabisquei o desenho e garatujei uma mensagem — "mas, Henry, o anjo não é a minha marca-d'água" — embaixo da figura. Tamborilando o desenho, voltei para cima. Eu não tinha ideia do que fazer. O Café 'Ino estava fechado por conta dos feriados. Fiquei na beira da cama olhando a garrafa de mescal. Na verdade, eu deveria limpar meu quarto, pensei, mas sabia que não ia fazer isso.

No pôr do sol fui andando até o Omen, um restaurante em estilo campestre de Kyoto, e tomei uma pequena cuia de sopa de missô vermelho acompanhada de saquê temperado. Fiquei lá por um tempo, ruminando sobre o ano vindouro. Eu só poderia começar a reforma do meu Álamo no final da primavera; era preciso esperar as obras dos vizinhos mais desfavorecidos terminar. O sonho deve ceder à vida, disse a mim mesma, derramando um pouco de saquê sem querer. Quando ia enxugar a mesa com a manga notei que as gotas formavam uma estranha ilha alongada, talvez um sinal. Sentindo um ímpeto de energia investigativa, paguei a conta, desejei a todos um feliz Ano-Novo e fui para casa.

Limpei minha mesa de trabalho, coloquei um atlas na minha frente e estudei os mapas da Ásia. Depois, abri meu computador e pesquisei os melhores voos para Tóquio. De vez em quando eu olhava para o meu desenho. Anotei os voos e os hotéis que me interessavam numa folha de papel, a primeira viagem do ano. Eu ia passar algum tempo sozinha escrevendo, no Hotel Okura, um clássico dos anos 1960, perto da embaixada americana. Depois eu improvisaria.

Naquela noite decidi escrever para meu amigo Ace, um recatado e culto produtor de filmes como *Nezulla the Rat Monster* e *Janku Fudo*. Ele não fala muito bem inglês, mas seu amigo e tradutor Dice tem tanto talento e experiência com tradução simultânea que nossas conversas acabam sendo sempre fluentes. Ace sabe onde encontrar o melhor saquê e o melhor macarrão de soba, além dos jazigos dos mais reverenciados escritores japoneses.

Na minha última visita ao Japão nós fomos ao túmulo de Yukio Mishima. Tiramos as folhas caídas e as cinzas, enchemos uns baldes de madeira e lavamos a laje, depositamos flores e queimamos incenso. Depois ficamos em silêncio. Fiquei imaginando o laguinho ao redor do templo dourado em Kyoto. Uma grande carpa vermelha dardejando abaixo da superfície e encontrando outra que parecia estar recoberta por um uniforme de argila. Duas mulheres mais velhas em trajes tradicionais se aproximaram com baldes e vassouras. Pareceram agradavelmente surpresas com o estado das coisas, disseram algumas palavras a Ace, fizeram uma vênia e seguiram seus caminhos.

— Elas pareceram contentes em ver o túmulo do Mishima bem cuidado — falei.

— Não exatamente — respondeu Ace rindo. — Elas eram amigas da mulher dele, cujos restos mortais também estão aqui. Nem falaram nada sobre ele.

Fiquei olhando para elas, duas bonecas pintadas à mão se afastando ao longe. Quando estávamos saindo, ganhei de presente a vassoura de palha que usei para varrer o túmulo do homem que escreveu *O templo do pavilhão dourado*. Ela fica encostada num canto do meu quarto, perto de uma velha rede de caçar borboletas.

Escrevi para Ace por meio de Dice. "Saudação pelo Ano-Novo. Da última vez que nos vimos era primavera. Agora estou indo no inverno. E me ponho em sua mãos." Depois escrevi um bilhete para meu editor e tradutor japonês, aceitando afinal um antigo convite. Por último, para minha amiga Yuki. O Japão havia sido assolado por um terremoto catastrófico quase dois anos antes. As consequências, ainda intensas e presentes, eclipsaram tudo o que eu vinha sentindo. Eu havia apoiado de longe seus esforços de ajuda à população, centrada nas necessidades de crianças órfãs. Prometi que o visitaria em breve.

Esperava pôr de lado minhas pequenas angústias, e talvez acrescentar algumas imagens para adornar o rosário da minha Polaroid. Estava contente em ir a algum lugar. Minha cabeça só precisava ser levada para novas paragens. Meu coração só precisava visitar um lugar de grandes tempestades. Virei uma carta do meu baralho de tarô, depois outra, tão casualmente como se estivesse virando uma página. "Encontre a verdade de sua situação. Tenha ousadia." Colei selos que haviam sobrado do Natal nos três envelopes e os joguei na caixa de correio a caminho do mercadinho. Depois comprei uma caixa de espaguete, cebolinha, alho e uma lata de anchovas, e preparei uma refeição.

O Café 'Ino parecia vazio. Pequenas formações de gelo pingavam da beira do toldo alaranjado. Sentei à minha mesa, pedi minha torrada de pão integral com azeite e abri *O primeiro homem*, de Camus. Eu já tinha lido o livro um tempo antes, mas havia ficado tão envolvida que não retive nada. Isso tem sido um enigma intermitente na minha vida. No início da adolescência eu ficava lendo horas a fio num pequeno bosque perto da linha de trem em Germantown. Assim como o personagem Gumby, eu entrava num livro de corpo e alma, e às vezes me aventurava tão a fundo que era como se vivesse nele. Terminei muitos livros desse jeito ali; fechando a última página em êxtase, mas enquanto voltava para casa não me lembrava mais do seu conteúdo. Isso me perturbava, mas não revelei aquela estranha aflição a ninguém. Olhava para as capas daquelas obras e seus conteúdos permaneciam um mistério que eu não conseguia decifrar. Eu adorava certos livros, vivia com eles, mas não conseguia rememorá-los.

No caso de *O primeiro homem*, talvez eu fosse transportada mais pela linguagem do que pela trama, seduzida pelo estilo de Camus. Mas, de qualquer forma, eu não conseguia me lembrar de nada. Continuava envolvida e presente na leitura, mas era obrigada a reler a segunda frase do primeiro parágrafo, uma sequência espiralada de palavras viajando para o Oriente na cauda de nuvens robustas. Eu ficava sonolenta — uma sonolência hipnótica, com a qual nem uma fumegante xícara de café conseguia competir. Me ajeitei na cadeira, voltei a pensar em minhas aguardadas viagens e comecei a fazer uma lista de coisas para levar a Tóquio. Jason, o gerente do 'Ino, veio me dar um alô.

— Você vai viajar de novo? — perguntou.

— Vou, como você sabe?

— Você está fazendo listas — ele respondeu dando risada.

É a mesma lista que sempre faço; mas eu continuava me sentindo obrigada a escrevê-la. Meias listradas, roupas de baixo, moletom com capuz, seis camisetas do Electric Lady Studios, câmera, macacões, minha cruz etíope e pomada para dores nas juntas. Meus maiores dilemas eram qual casaco usar e quais livros levar.

Naquela noite eu sonhei com o detetive Holder. Estávamos andando por uma vala comum de motores colchões laptops desmontados — um local do crime diferente. Ele escalou até o topo de uma montanha de peças, escrutinando a área ao redor. Repetia seu trejeito de coelho e parecia ainda mais irrequieto do que nos limites de *The Killing*. Subimos pelas ferragens ao redor de um hangar de aviões abandonado que dava para um canal onde eu tinha um pequeno rebocador. Ele tinha uns quatro metros de comprimento, era feito de madeira e alumínio batido. Sentamos em alguns caixotes e ficamos vendo as barcaças enferrujadas navegando devagar ao longe. No meu sonho eu sabia que era um sonho. As cores do dia eram como um quadro de Turner — ferrugem, ar dourado, vários tons de vermelho. Eu quase conseguia ler os pensamentos de Holder. Ficamos lá em silêncio e ele se levantou depois de algum tempo.

— Preciso ir — ele falou.

Concordei com a cabeça. O canal pareceu se alargar quando as barcaças se aproximaram.

— Estranhas proporções — ele murmurou.

— É ali que eu moro — falei em voz alta.

Podia ouvir a voz de Holder em seu celular, a voz ficando mais baixa.

— Amarrando algumas pontas soltas — ele estava dizendo.

Nos dias seguintes, continuei a procurar meu casaco preto. Um esforço infrutífero, apesar de ter encontrado uma grande sacola de lona no porão, cheia de roupa suja de Michigan — algumas camisas de flanela de Fred, levemente mofadas. Levei tudo para cima e lavei na pia. Enquanto as enxaguava, comecei a pensar em Katharine Hepburn. Eu havia ficado fascinada ao vê-la no papel de Jo March na adaptação cinematográfica de *As quatro irmãs*, dirigida por George Cukor. Anos depois, quando trabalhava como balconista na livraria Scribner, eu pegava livros para ela. Katharine ficava na mesa de leitura examinando cada volume com a maior atenção. Ela usava um chapéu de couro do finado Spencer Tracy preso na cabeça com uma echarpe de seda verde. Fiquei atrás, vendo como ela virava as páginas, ponderando em voz alta se Spence teria gostado daquilo. Na época eu era novinha, não compreendia bem o jeito dela. Pendurei as camisas de Fred para secar. Com o tempo, acabamos nos fundindo com o que não conseguimos compreender.

Eu ainda tinha de escolher os livros que iria levar. Voltei ao porão e encontrei uma caixa de livros com a etiqueta *J — 1983*, meu ano de literatura japonesa. Tirei-os da caixa um a um. Alguns estavam cheios de anotações; outros continham listas de tarefas em pequenas tiras de papel — necessidades domésticas, relação de utensílios para pescarias e um cheque em branco com a assinatura de Fred. Descobri alguns rabiscos do meu filho nas folhas de guarda de um exemplar de *Yoshitsune* da biblioteca e reli as primeiras páginas de *O sol poente*, de Osamu Dazai, com a frágil capa decorada com adesivos dos Transformers.

Finalmente escolhi alguns livros de Dazai e Akutagawa. Os dois tinham me inspirado a escrever, e serviriam como companheiros importantes para um voo de catorze horas. Mas, no final das contas, quase não li no avião. Acabei assistindo ao filme *Mestre dos mares*. O capitão Jack Aubrey me lembrou tanto de Fred que assisti duas vezes. No meio do voo eu estava chorando. Volte pra mim, pensava. Você já está longe por tempo demais. Volte pra mim. Eu paro de viajar; eu lavo sua roupa. Felizmente, acabei adormecendo, e quando acordei a neve caía sobre Tóquio.

Ao entrar no saguão modernista do Hotel Okura, tive a sensação de que meus movimentos estavam sendo monitorados de alguma forma, e que as pessoas que assistiam estavam rindo histericamente. Resolvi assumir o papel e reforçar a diversão deles evocando meu Mr. Magoo interior, prolongando o registro, antes de me meter embaixo de uma fileira de lanternas hexagonais em direção ao elevador. Subi imediatamente para o meu andar. Meu quarto não parecia nada romântico, mas era aconchegante e funcional, com um mecanismo especial que bombeava uma dose extra de oxigênio no ambiente. Havia uma pilha de cardápios na mesa, só que todos em japonês. Resolvi explorar o hotel e sua

Roupão-fantasma.

série de restaurantes, mas não consegui encontrar café, o que era perturbador. Meu corpo não tinha sensação de tempo. A letra da música "Love Potion No. 9" — *I didn't know if it was day or night* — se repetia enquanto eu zanzava de andar em andar. Finalmente entrei em um restaurante chinês com boxes reservados. Pedi bolinhos, servidos numa caixa de bambu, e um bule de chá de jasmim. Quando voltei ao meu quarto, mal tive energia para tirar a coberta da cama. Olhei para a pequena pilha de livros na mesa de cabeceira. Escolhi *Declínio de um homem*. Lembro-me vagamente de ter passado os dedos por sua lombada.

Eu seguia o movimento da minha caneta, mergulhando-a no tinteiro e rabiscando a superfície do papel à minha frente. No sonho eu estava concentrada e prolífica, enchendo páginas e mais páginas em um quarto que não era o meu, numa casinha alugada em um bairro bem diferente. Havia uma placa gravada ao lado de uma porta de correr que se abria para um grande closet com uma esteira enrolada. Apesar de estar escrito em caracteres japoneses, eu conseguia decifrar quase tudo: "Favor manter silêncio pois estes são os recintos preservados do estimado escritor Ryūnosuke Akutagawa". Ajoelhei e examinei a esteira, tomando cuidado para não chamar a atenção. As janelas estavam abertas e eu conseguia ouvir a chuva. Ao levantar, me senti muito alta, como se tudo mais estivesse lá embaixo no chão. Vi um pedaço de roupão tremeluzente estirado numa cadeira de palha. Quando cheguei mais perto, pude perceber que o roupão estava se tecendo sozinho. Bichos-da-seda consertavam pequenos rasgos e encompridavam as largas mangas. A visão dos bichos tecendo me deixou enjoada, e sem querer esmaguei uns dois ou três deles quando tentei me equilibrar. Fiquei vendo enquanto se agitavam ainda meio vivos na palma da minha mão, como minúsculos fios dispersos de seda liquefeita.

Acordei tateando em busca da jarra de água e acabei a entornando. Imagino que estava querendo lavar a mão, removendo o que restava dos desditosos bichos. Meus dedos encontraram meu caderno, me sentei de repente e procurei o que havia escrito, mas pelo visto eu não tinha escrito nada, nenhuma palavra. Levantei, tomei uma garrafa de água mineral do frigobar e abri as cortinas. Neve noturna. A visão me provocou uma profunda sensação de estranhamento. Embora fosse difícil dizer por quê. Eu tinha uma chaleira no quarto. Preparei um chá e o tomei acompanhado de alguns biscoitos que havia embolsado na sala de espera do aeroporto. Logo o sol estaria se erguendo.

Sentei à mesa portátil de metal diante do meu caderno aberto, lutando para escrever alguma coisa. No geral, pensei mais do que escrevi, desejando poder transmitir os pensamentos diretamente para a página. Quando eu era mais nova, achava que poderia pensar e escrever simultaneamente, mas nunca consegui me acompanhar. Desisti dessa empreitada e passei a escrever na minha cabeça, enquanto ficava ao lado do meu cachorro num riacho secreto de arco-íris incandescentes, uma mistura de sol e petróleo escumando a água como filhotes de sereias etéreos de asas iridescentes.

A manhã continuava encoberta, mas a neve tinha diminuído. Matutei se estavam mesmo bombeando oxigênio extra no ar, se o oxigênio escapava quando eu abria a janela. Lá embaixo uma procissão de garotas com sofisticados quimonos com mangas largas e balouçantes atravessava o estacionamento. Era Dia da Maioridade, uma cena de inocência e agitação. Pobres pezinhos! Eu tremia de ver aquelas meninas andando na neve com suas sandálias zori, mas a linguagem corporal indicava gritinhos e risadas. Flâmulas de orações pela metade se juntavam para seguir atrás das bainhas dos quimonos coloridos. Fiquei olhando até elas desaparecerem numa curva, no abraço de uma neblina envolvente.

Voltei à minha mesa e fiquei olhando meu caderno. Determinada a produzir alguma coisa, a despeito de uma inescapável lassidão, sem dúvida devido aos profundos efeitos da viagem. Não resisti e fechei os olhos só por um momento, sendo instantaneamente acolhida por uma treliça que se expandia e chacoalhava profundamente, recobrindo os limites de um impecável labirinto com uma torrente de pétalas. Nuvens horizontais se formavam acima de uma montanha distante: os lábios flutuantes de Lee Miller. Não agora, eu disse meio alto, pois não estava a fim de me perder em um labirinto surreal. Não queria pensar em musas e labirintos. Estava pensando em escritores.

Quando nosso filho nasceu, eu e Fred nunca nos afastávamos muito de casa. Íamos à biblioteca, selecionávamos pilhas de livros e passávamos a noite inteira lendo. Fred era vidrado em tudo que tratasse de aviação e eu estava imersa na literatura japonesa. Arrebatada pela atmosfera de certos escritores, converti em sala de leitura o quartinho de despejo ao lado do nosso quarto. Comprei metros de feltro preto e recobri o piso e os rodapés. Eu tinha uma chaleira de ferro, uma chapa quente e quatro caixotes alaranjados — que Fred pintou de preto — para os meus livros. Eu sentava em posição de lótus no piso forrado de feltro diante de uma mesa comprida e baixa. Nas manhãs de inverno, a paisagem vista da janela parecia descolorida, com árvores esguias curvando-se sob um vento branco. Escrevi naquele quartinho até nosso filho ficar mais velho e aquele virar o quarto dele. Depois disso passei a escrever na cozinha.

Ryūnosuke Akutagawa e Osamu Dazai escreveram os livros que me levaram a essa espantosa divagação; os mesmos livros que agora se encontram na minha mesa de cabeceira. Eu estava pensando neles. Eles vieram até mim em Michigan e eu os trouxe de volta ao Japão. Os dois escritores se suicidaram. Akutagawa, temendo ter herdado a loucura da mãe, ingeriu uma dose fatal de veronal e se aninhou em seu tatame ao lado da mulher e do filho que dormiam. Dazai, mais jovem, acólito dedicado, parece ter herdado o sapato apertado do mestre, fracassando em múltiplas tentativas de suicídio até se afogar, ao lado de um companheiro, no lamacento e alagado canal Tamagawa.

Akutagawa, intrinsecamente amaldiçoado, e Dazai amaldiçoado por si mesmo. De início eu tinha em mente escrever alguma coisa sobre os dois. No meu sonho, eu me sentava à escrivaninha de Akutagawa, mas hesitava em perturbar sua paz. Dazai era outra história. Seu espírito parecia estar em toda parte, como um feijão saltador assombrado. Homem infeliz, pensei, antes de escolhê-lo como meu tema.

Concentrando-me bastante, eu tentava canalizar o escritor. Mas não conseguia acompanhar meus pensamentos, bem mais rápidos que minha caneta, e não escrevia nada. Relaxa, dizia a mim mesma, você escolheu o seu tema e o seu tema escolheu você, vai acontecer. A atmosfera ao meu redor era ao mesmo tempo animada e contaminada. Sentia uma impaciência crescente combinada a uma ansiedade subjacente, que eu atribuía à falta de café. Olhava por cima do ombro como se esperasse um visitante.

— O que é o nada? — perguntei impetuosamente.

— É o que você consegue ver dos seus olhos sem um espelho — era a resposta.

De repente me vi com fome, mas sem vontade de sair do meu quarto. Mesmo assim, voltei àquele restaurante chinês e apontei uma foto do que eu queria no cardápio. Comi camarão empanado com bolinhos de acelga no vapor, embrulhados em folhas e servidos em um cesto de bambu. Desenhei uma caricatura de Dazai no guardanapo, exagerando no cabelo desgrenhado, emoldurando um rosto ao mesmo tempo cômico e bonito. De repente me toquei que os dois escritores compartilhavam esta característica encantadora: os cabelos em pé. Paguei minha conta e voltei ao elevador. A ala do hotel onde eu estava parecia inexplicavelmente vazia.

Pôr do sol, alvorecer, noite fechada, meu corpo não tinha senso de tempo e resolvi aceitar esse fato e seguir a dica de Fred. Prosseguir sem as mãos. Em uma semana eu estaria no fuso horário de Ace e Dice, mas por enquanto eu estava por conta própria, sem nenhum objetivo a não ser a esperança de preencher algumas páginas com algo que valesse a pena. Enfiei-me embaixo das cobertas para ler, mas desmaiei no meio de *Hell Screen* e perdi o equilíbrio da tarde e a transição do pôr do sol para a noite. Quando acordei, já era tarde demais para jantar, então peguei uns petiscos no frigobar — um saco de biscoitos em forma de peixes recobertos de wasabi em pó, uma barra de Snickers tamanho gigante, um pote de amêndoas descascadas. Jantar regado a ginger ale. Escolhi algumas roupas e tomei um banho, depois resolvi sair, nem que fosse só para dar uma volta pelo estacionamento. Cobri meu cabelo molhado com o gorro e parti, seguindo os passos das meninas de quimono. Os pequenos degraus entalhados na pequena ladeira pareciam não levar a parte alguma.

Inconscientemente, eu tinha desenvolvido algo semelhante a uma rotina. Lia, sentava diante da mesa de metal, comia comida chinesa e voltava a percorrer meus passos na neve noturna. Tentava acalmar todas as inquietações recorrentes com um exercício repetitivo: escrever diversas vezes — quase uma centena — o nome de Osamu Dazai. Infelizmente, a página com o nome do escritor não deu em nada. Meu método resultou em uma teia sem sentido de uma caligrafia aleatória.

Mas de alguma forma eu ia me aproximando do meu objetivo — Dazai, o estupefato, o desajeitado, o vagabundo aristocrático. Podia ver seu cabelo espetado e desgrenhado, sentir a energia de seu remorso atormentado. Levantei, fervi uma chaleira de água, tomei um chá em pó e emergi numa nuvem de bem-estar. Fechei o diário e coloquei à minha frente várias folhas de um bloco de papel do hotel. Respirando fundo e lentamente, esvaziei a cabeça e comecei de novo.

As folhas novas não caíram das árvores, continuaram desesperadamente agarradas durante todo o inverno. Mesmo quando o vento assobiava, para surpresa de todos, elas tiveram a audácia de se manterem verdes. O escritor conti-

nuou imperturbável. Os anciões o olhavam com aversão. Para eles, um poeta vacilante, no limite. De sua parte, ele os olhava com desdém, imaginando-se um elegante surfista na crista da onda, sem jamais cair.

A classe dominante, ele grita, a classe dominante.

Ele acorda empoçado em suor, a camisa grudenta de sal. A tuberculose que contraiu na infância se calcificou como minúsculas sementes — pequenos grãos de gergelim condimentando seu pulmão generosamente. Um acesso de bebedeira o faz disparar: mulheres estranhas, camas estranhas, uma tosse horrível borrifando manchas caleidoscópicas em lençóis desconhecidos.

Eu não pude evitar, ele grita. O poço suplica pelos lábios dos bêbados. Beba de mim, beba de mim, clamando, insistentes sinos dobrando. Uma litania de Ele.

Os braços musculosos tremem sob mangas ondulantes. Ele se debruça sobre sua mesa baixa compondo pequenos bilhetes suicidas que por alguma razão se transformam em outra coisa. Desacelerando o sangue e os batimentos do próprio coração, com a indulgência de um escriba jejuando, ele escreve o que tem de escrever, consciente do movimento de seu punho, enquanto as palavras se espalham pela superfície do papel como um antigo encantamento mágico.

Ele saboreia sua única alegria, um copo grande de miruku gelado que invade seu sistema como uma transfusão de corpúsculos lácteos.

A súbita luminosidade da alvorada o assusta. Ele cambaleia até o jardim; florescências brilhantes despontam suas línguas de fogo, oleandros sinistros da rainha de copas. Desde quando as flores se tornaram tão sinistras? Ele tenta lembrar onde tudo deu errado. Como os filamentos de sua vida se desenrolaram feito um fio emaranhado nos pés libertos de uma consorte decaída.

Ele foi vencido pela doença do amor, pela bebedeira de gerações passadas. Quando somos nós mesmos, ele pondera, arrastando por margens cobertas de neve, o casaco dele iluminado pelo luar. Longas peliças, forradas de seda grossa e da cor de velhos pergaminhos, com as palavras Comer ou Morrer escritas em sua própria letra nas mangas, verticalmente no verso e na frente do colarinho, descendo pelo lado esquerdo de seu coração. Comer ou Morrer. Comer ou Morrer. Comer ou Morrer.

Fiz uma pausa, desejando poder segurar aquele casaco nas mãos, e percebi que o telefone do hotel estava tocando. Era Dice ligando em nome de Ace.

— O telefone chamou muitas vezes. Estamos incomodando?

— Não, não, que bom vocês terem ligado. Eu estava escrevendo uma coisa para Osamu Dazai — respondi.

— Então você vai gostar do nosso itinerário.

— Estou pronta. Por onde começamos?

— Ace fez uma reserva para jantar no Mifune. Depois podemos fazer planos para amanhã.

— Encontro vocês no saguão em uma hora.

Adorei a escolha do Mifune, um dos meus favoritos por razões sentimentais, cuja temática é a vida do grande ator japonês Toshiro Mifune. Provavelmente iríamos consumir muito saquê, e talvez um prato de soba preparado especialmente para mim. Minha solidão não poderia ter sido interrompida de maneira mais fortuita. Arrumei rapidamente minhas coisas, enfiei uma aspirina no bolso e fui me encontrar com Ace e Dice. Como imaginei, o saquê transbordou. Aconchegados na atmosfera de um filme de Kurosawa, imediatamente retomamos o fio da meada de um ano atrás — túmulos, templos e florestas nevadas.

Na manhã seguinte eles foram me pegar com o Fiat bicolor de Ace, que parecia uma ferradura vermelha e branca. Saímos à procura de um café. Fiquei tão contente de finalmente estar tomando um café que Ace mandou encher uma garrafa térmica para beber mais tarde.

— Você sabia que no anexo reformado do Okura eles servem um café da manhã americano completo? — perguntou Dice.

— Ah, não — respondi dando risada. — Aposto que deixei de tomar tonéis de café.

Ace é a única pessoa de quem eu aceitaria um itinerário, pois suas escolhas sempre correspondem aos meus desejos. Fomos a Kōtoku-in, um templo budista em Kamakura, onde prestamos nossas homenagens ao grande Buda que pairava acima de nós como a Torre Eiffel. Tão místico e intimidante que só tirei uma foto. Quando retirei a película, a imagem mostrou que a emulsão estava com problema e não havia captado a cabeça dele.

— Talvez ele tenha escondido o rosto — comentou Dice.

No primeiro dia da nossa peregrinação eu quase não usei minha câmera.

Depositamos flores no memorial público a Akira Kurosawa. Pensei sobre sua grande filmografia, desde *O anjo embriagado* até sua obra-prima *Ran*, um

épico que teria provocado arrepios em Shakespeare. Me lembro de ter assistido a *Ran* em um cinema na periferia de Detroit. Fred me levou no meu aniversário de quarenta anos. O sol ainda não havia se posto e o céu estava claro e brilhante. Mas no decorrer das três horas do filme, sem que soubéssemos, caiu uma nevasca. Quando saímos do cinema, um céu negro caiado por um redemoinho de neve nos aguardava.

— Nós continuamos no filme — comentou Fred.

Ace consultou um mapa do cemitério de Engaku-ji. Quando passamos pela estação ferroviária, parei para observar as pessoas esperando pacientemente para atravessar a linha do trem. Um velho expresso passou chacoalhan-

Estação Kita-Kamakura, inverno.

do, como se fossem cascos barulhentos de cenas passadas galopando a partir de ângulos brutais. Tremendo de frio, procuramos o túmulo do cineasta Ozu, um empreendimento difícil, pois o local era isolado em um pequeno enclave na parte mais alta do terreno. Diversas garrafas de saquê estavam dispostas sobre a lápide dele, um cubo de granito preto contendo somente o caractere *mu*, que significa o nada. Aqui, um feliz andarilho poderia encontrar abrigo e beber até desmaiar. Ozu adorava saquê, disse Ace; ninguém se atrevia a abrir suas garrafas. A neve cobria tudo. Subimos os degraus de pedra, acendemos alguns incensos e ficamos apreciando a fumaça jorrar e depois pairar absolutamente imóvel, como que prevendo a sensação de estar congelada.

Cenas de filmes coruscavam pela atmosfera. A atriz Setsuko Hara deitada ao sol, a expressão franca e aberta, seu sorriso radiante. Ela trabalhou com os dois mestres, primeiro com Kurosawa e depois em seis filmes de Ozu.

— Onde ela jaz? — perguntei, pensando em levar uma braçada de grandes crisântemos brancos para sua sepultura.

— Ela ainda está viva — traduziu Dice. Com 92 anos.

— Talvez ela chegue aos cem — falei. — Fiel a si mesma.

A manhã seguinte estava encoberta, com sombras opressivas. Varri o túmulo de Dazai e lavei a lápide, como se fosse seu corpo. Enxaguei os vasos e pus um maço de flores novas em cada um. Uma orquídea vermelha simbolizava o sangue de sua tuberculose, e pequenos ramos de forsítias brancas. Seu fruto contém muitas sementes aladas. As forsítias emanavam um leve aroma de amêndoas. As minúsculas flores, que produzem um leite açucarado, simbolizavam o leite que lhe dava prazer durante a pior fase de sua debilitante tuberculose. Acrescentei bocados de mosquitinho — uma panícula de pequenas flores brancas — para refrescar seus pulmões maculados. As flores formavam uma pequena ponte, como mãos se tocando. Recolhi algumas pedras soltas e as pus no bolso. Depois fixei o incenso em um suporte circular, na horizontal. A fumaça adocicada envolveu o nome dele. Estávamos para ir embora, quando de repente o sol irrompeu, iluminando tudo. Talvez o mosquitinho tenha acertado o alvo e Dazai tenha soprado as nuvens que bloqueavam o sol com o pulmão renovado.

— Acho que ele está feliz — falei. Ace e Dice concordaram com a cabeça.

Queimadores de incenso, túmulo de Ryūnosuke Akutagawa.

Despedindo-se da sepultura.

Nossa destinação final era o cemitério de Jigen-ji. Quando nos aproximamos do túmulo de Akutagawa, lembrei meu sonho e me perguntei como iria colorir minhas emoções. Os mortos nos olham com curiosidade. Cinzas, fragmentos de ossos, um punhado de areia, a aquiescência do material orgânico, esperando. Deixamos nossas flores, mas ainda assim não conseguimos dormir. Somos cortejados, depois escarnecidos, e sofremos como Amfortas, rei dos Cavaleiros do Graal, por um ferimento que se recusa a cicatrizar.

Fazia muito frio e mais uma vez o céu escurecia. Senti-me estranhamente distanciada, entorpecida, mas visualmente conectada. Atraída por sombras contrastantes, tirei quatro fotos do queimador de incenso. Ainda que muito parecidas, fiquei satisfeita com elas, imaginando-as como painéis de um biombo. Quatro painéis uma estação. Fiz uma vênia e agradeci Akutagawa enquanto Ace e Dice corriam para o carro. Quando fui atrás deles, o caprichoso sol retornou. Passei por uma antiga cerejeira envolta em uma aniagem esfarrapada. A luz fria aprofundava a textura da amarração e enquadrei minha última foto: uma máscara cômica cujas lágrimas fantasmagóricas pareciam verter dos fiapos esgarçados da aniagem.

Na noite seguinte me preparei mentalmente para mudar de hotel, já sentindo falta da minha rotina reclusa e repetitiva. Eu tinha ficado enfurnada no casulo do Hotel Okura com duas infelizes mariposas que não quiseram aparecer, mas também não esconderam as caras. Sentei à mesa de metal e fiz uma lista das minhas próximas tarefas, inclusive as reuniões com meu editor e tradutor. Depois iria me encontrar com Yuki para ajudá-la em seus contínuos esforços em prol de crianças que ficaram órfãs por conta dos efeitos do terremoto e tsunami de Tohoku em 2011. Arrumei minha malinha, envolta numa névoa de nostalgia pelo fluxo presente do qual estava me afastando, alguns dias num mundo de minha feitura, frágil como um templo construído com palitos de fósforo.

Fui até o closet e tirei um futom e um travesseiro de macela. Estendi o futom no chão e me enrolei na minha manta. Estava assistindo ao que parecia ser o capítulo final de uma espécie de telenovela passada no século XVIII. Era arrastada, sem legenda e não mostrava um grama de felicidade. Mas eu estava contente. Minha manta era como uma nuvem. Fiquei divagando, transiente,

Máscara cômica.

seguindo o pincel de uma donzela que pintava uma cena de muita tristeza nas velas de um barquinho de madeira chorado por ela mesma. Seu quimono farfalhava enquanto ela andava descalça de um aposento a outro. Ela saiu por portas de correr que se abriam para uma ribanceira coberta de neve. Não havia gelo no rio e o barco partiu sem ela. Não lance seu barco em um rio de lágrimas, gritava o vento rascante. As mãozinhas estão imóveis, fiquem imóveis. Ela se ajoelhou e deitou de lado, agarrada a uma chave, aceitando a generosidade de um sono sem fim. A manga do quimono era enfeitada com os contornos de um ramo luzente de delicadas flores de ameixa, cujos miolos escuros eram um borrifo de minúsculas gotinhas. Fechei os olhos como que para me juntar à moça enquanto as gotículas se reorganizavam, formando um estampado semelhante a uma ilha alongada na orla de uma serena escuridão.

Pela manhã, Ace me levou de carro até um hotel mais central que meu editor havia escolhido, perto da estação ferroviária de Shibuya. Fiquei num quarto no 18º andar de uma torre moderna com vista para o monte Fuji. O hotel tinha uma pequena cafeteria que servia café em xícaras de porcelana, todo café que eu desejasse. O dia foi bem atribulado, uma vívida atmosfera de uma inesperada e bem-vinda mudança. Mais tarde naquela noite eu fiquei à janela olhando para a grande montanha num manto branco que parecia manter vigília sobre os japoneses adormecidos.

Na manhã seguinte tomei o trem-bala na estação de Tóquio em direção a Sendai, onde Yuki me esperava. Pude ver muitas outras coisas por trás de seu sorriso, uma tristeza catastrófica. Eu a havia ajudado de longe e agora iríamos pensar sobre os frutos de novos esforços para os generosos guardiães das desafortunadas crianças que sofreram infinitas perdas, da família, de suas casas e da natureza como a conheciam e confiavam. Yuki passou o tempo conversando com os professores das crianças. Antes de sairmos elas nos presentearam com um precioso *senbazuru*, mil grous de papel conectados por fios. Muitos dedinhos trabalharam diligentemente para nos presentear com o maior símbolo de boa saúde e bons votos.

Depois fizemos uma visita ao outrora movimentado porto de pescadores de Yuriage. O poderoso tsunami, com mais de trinta metros de altura, varreu quase mil casas e só restaram uns poucos barcos avariados. Os campos de arroz, agora abandonados, ficaram cobertos por quase 1 milhão de carcaças de peixes, deixando no ar um fedor pútrido que perdurou por meses. Estava muito frio, e eu e Yuki ficamos ali sem palavras. Eu estava preparada para ver danos terríveis, mas não para o que não vi. Havia um pequeno Buda na neve perto da orla e um altar solitário dominava o que já fora uma comunidade efervescente. Subimos os degraus que levavam ao altar, um humilde monólito de ardósia. Estava tão frio que mal conseguimos rezar. Quer tirar uma foto?, perguntou Yuki. Olhei para a paisagem sombria e sacudi a cabeça negativamente. Como poderia tirar uma foto de nada?

Yuki me deu um pacote e nos despedimos. Embarquei no trem-bala de volta a Tóquio. Quando cheguei à estação, encontrei Ace e Dice me esperando.

— Achei que já tínhamos nos despedido.

— Não podíamos te abandonar.

— Vamos voltar ao Mifune?

— Sim, vamos lá. O saquê deve estar nos esperando.

Ace aquiesceu e sorriu. Era hora do saquê, e a bebida encharcou a nossa última noite.

— Que belo copo e que linda tokkuri — comentei. Ambos eram de um verde-azulado com um diminuto brasão vermelho.

— Esse é o símbolo oficial do Kurosawa — explicou Dice.

Ace puxou a barba, imerso em pensamentos. Fiquei andando pelo restaurante, admirando as ousadas imagens coloridas dos guerreiros de *Ran*, de Kurosawa. Quando voltamos alegres para o carro, Dice tirou a tokkuri e o copo de sua velha bolsa de couro.

— A amizade nos torna todos ladrões — falei.

Dice ia traduzir, mas Ace o deteve com a mão.

— Eu entendi — ele disse solenemente.

— Vou sentir saudade de vocês dois — falei.

Naquela noite deixei o copo e a tokkuri na mesa de cabeceira ao lado da cama. Ainda com algumas gotas de saquê que eu não tinha lavado.

Acordei com uma leve ressaca. Tomei uma ducha fria e me encaminhei por um labirinto de elevadores que não me levaram a parte alguma. Agora o que eu queria mesmo era um café. Saí procurando e encontrei uma cafeteria expressa

— novecentos ienes por um café e croissants minúsculos. Na mesa em frente à minha havia um homem de seus trinta anos de terno, camisa branca e gravata, trabalhando em seu laptop. Notei umas riscas sutis em seu terno quase imperceptíveis, mas diferentes e contestadoras. Seu comportamento não era o de um homem de negócios comum. De repente ele mudou de laptop, se serviu de um café e continuou seu trabalho. Fiquei impressionada com a concentração serena porém complexa que irradiava dele, os sulcos de luz em seu cenho aberto. Era bonito, mais ou menos como o jovem Mishima, sugerindo certo decoro, infidelidades silenciosas e devoção moral. Fiquei olhando as pessoas passarem. O tempo também estava passando. Tinha pensado em tomar o trem para passar o dia em Kyoto, mas preferi ficar tomando café em frente àquele estranho silencioso.

No fim acabei não indo a Kyoto. Fiz uma última caminhada, considerando o que aconteceria se eu trombasse com Murakami na rua. Mas na verdade eu não senti nada de Murakami em Tóquio, nem procurei seu endereço, apesar de o bairro onde morava ser a poucos quilômetros de distância. De tão possuída que estava pelos mortos, evitei contato com os fictícios.

Murakami não está aqui em lugar nenhum, pensei. Provavelmente está em outro lugar, trancado numa cápsula espacial no meio de um campo de lavanda, em busca de palavras.

Naquela noite eu jantei sozinha, uma elegante refeição de abalone no vapor, macarrão de soba com molho de chá verde e chá morno. Abri o presente de Yuki. Era uma caixa coral embrulhada em papel grosso da cor de espuma do mar. Envoltos no tecido claro, anéis de soba do distrito de Nagano. Estavam dentro da caixa oblonga, como colares de pérolas. Por último, me concentrei nas minhas fotos. Espalhei-as em cima da cama. A maioria entrou na pilha de suvenires, mas as do queimador de incenso no túmulo de Akutagawa tinham mérito; eu não estava voltando para casa de mãos vazias. Levantei e fiquei um momento na janela, olhando para as luzes de Shibuya e para o monte Fuji. Depois abri uma garrafinha de saquê.

— À sua saúde, Akutagawa. À sua saúde, Dazai — falei, esvaziando o copo.

— Não perca seu tempo conosco — eles pareceram ter respondido —, nós somos apenas uns vagabundos.

Voltei a encher o copinho e o entornei.

— Todos os escritores são vagabundos — murmurei. — Espero ser considerada uma de vocês algum dia.

Demônios aéreos da tempestade

Viajei para casa voltando para trás, passando por Los Angeles e parando alguns dias em Venice Beach, que fica perto do aeroporto. Fiquei sentada nas pedras, olhando o mar e ouvindo uma mistura de músicas, o discordante reggae e seu revolucionário sentido harmônico saindo de vários aparelhos portáteis. Comi tacos de peixe e tomei café no Café Collage, a um quarteirão do calçadão de Venice. Nem me dei ao trabalho de trocar de roupa. Arregacei as barras da calça e andei à beira d'água. Estava fria, mas causou uma boa sensação na pele. Não tive vontade de abrir a mala ou o computador. Vivi só de uma sacola de algodão preta. Dormia ao som das ondas e passei um bom tempo lendo jornais descartados.

Depois de um último café no Collage eu fui para o aeroporto, onde descobri que minhas malas tinham ficado no hotel. Embarquei no avião sem nada além do passaporte, uma caneta branca, escova de dente, minipasta de dente salina da Weleda, e um caderno Moleskine médio. Eu não tinha nenhum livro para ler e não havia nenhum entretenimento a bordo durante as cinco horas de voo. Imediatamente me senti encurralada. Folheei as revistas de bordo, que apresentavam os dez melhores resorts para esqui no país, depois me ocupei fazendo círculos ao redor dos nomes de todos os lugares que eu conhecia no mapa da Europa e da Escandinávia na página central.

Eu tinha uns 1300 ienes e quatro fotografias dentro de uma aba interna do meu Moleskine. Espalhei as fotos na mesinha em frente à poltrona: uma foto da minha filha Jesse diante do Café Hugo, na Place de Vosges; duas imagens do queimador de incenso no túmulo de Akutagawa e uma da lápide da poeta Sylvia Plath na neve. Tentei escrever alguma coisa sobre Jesse mas não consegui, pois o rosto dela remetia ao do pai e ao orgulhoso palácio onde moram os fantasmas da minha antiga vida. Devolvi três das fotos ao Moleskine e me concentrei em Sylvia na neve. Não era uma boa foto, o resultado de uma espécie de penitência de inverno. Decidi escrever sobre Sylvia. Escrever para ter alguma coisa para ler.

De repente me ocorreu que eu estava numa viagem de suicidas. Akutagawa. Dazai. Plath. Mortos pela água, por barbitúricos e por envenenamento com monóxido de carbono; três dedos de esquecimento, excedendo tudo o mais. Sylvia Plath se matou na cozinha de seu apartamento em Londres, no dia 11 de fevereiro de 1963. Com trinta anos de idade. Em um dos invernos mais frios já registrados na Inglaterra. Estava nevando desde um dia depois do Natal, fazendo a neve se acumular nos bueiros. O rio Tâmisa estava congelado e os carneiros morriam de fome no campo. Seu marido, o poeta Ted Hughes, a tinha deixado. Os filhos do casal dormiam, aconchegados em suas camas. Sylvia enfiou a cabeça no forno. É de se estremecer ante um momento de tão avassaladora desolação. O relógio batendo. Os instantes finais, a possibilidade de continuar vivendo, de desligar o gás. Imagino o que se passou pela cabeça dela naqueles momentos: os filhos, o embrião de um poema, o marido namorador passando manteiga em uma torrada ao lado de outra mulher. Imaginei o que aconteceu com o forno. Talvez o novo morador tenha ficado com um fogão imaculado, um grande relicário dos últimos pensamentos de uma poeta e um fio de cabelo claro enroscado numa dobradiça de metal.

O avião parecia insuportavelmente quente, mas alguns passageiros pediram cobertores. Senti o despontar de uma dor de cabeça seca e opressiva. Fechei os olhos e busquei uma imagem armazenada do meu exemplar de *Ariel*, que ganhei de presente quando eu tinha vinte anos. Na época, *Ariel* se tornou o livro da minha vida, me atraindo a uma poeta com um cabelo digno de um comercial de xampu e o incisivo poder de observação de uma cirurgiã arrancando o próprio coração. Não precisei fazer muita força para conseguir visualizar *Ariel*. Fino, com uma capa desbotada de tecido preto que eu abri em minha mente, notando minha jovem assinatura na folha de guarda cor de creme. Virei as páginas, reencontrando a forma de cada poema.

Quando me concentrei nos primeiros versos, forças endiabradas projetaram múltiplas imagens de um envelope branco piscando no canto dos meus olhos, atrapalhando meus esforços de leitura.

Essa inquietante visita me provocou uma pontada, pois eu conhecia muito bem aquele envelope. Ele já tinha guardado um punhado de imagens tiradas no túmulo da poeta sob a luz outonal do norte da Grã-Bretanha. Eu havia viajado de Londres a Leeds, passando pela terra das irmãs Brontë e por Hebden Bridge até chegar à antiga aldeia de Yorkshire de Heptonstall para tirar aquelas fotos. Eu levei flores; estava especialmente motivada para registrar aquele momento.

Eu só tinha uma caixinha de filmes Polaroid, mas não precisei de mais do que isso. A luz estava excelente e fotografei com uma segurança absoluta, sete fotos, para ser exata. Todas saíram boas, mas cinco ficaram perfeitas. Fiquei tão contente que pedi a um visitante solitário, um simpático irlandês, para tirar uma foto minha no gramado ao lado do túmulo. Saí muito velha na foto, mas sob a mesma luz cintilante, e por isso fiquei satisfeita. Na verdade, senti uma alegria que não vivenciava havia um bom tempo — a de cumprir um grande desafio com facilidade. Fiz uma simples oração reverente e não deixei minha caneta num balde perto da lápide, como haviam feito inúmeros outros. Eu só tinha comigo minha caneta favorita, uma pequena Montblanc branca, e não quis me separar dela. De alguma forma me senti isenta desse ritual, um deslize que achei que ela entenderia e do qual eu me arrependeria.

Examinei as fotos durante o longo trajeto até a estação de trem, antes de guardar tudo num envelope. Continuei observando as fotos nas horas seguintes, diversas vezes. Alguns dias depois, em meio aos meus deslocamentos, o envelope e seu conteúdo desapareceram. Fiquei muito triste, rastreei todos os meus movimentos, mas nunca mais os encontrei. Simplesmente sumiram. Lamentei aquela perda, amplificada pela lembrança da alegria que senti ao tirar aquelas fotos em uma época estranhamente sem alegria.

No começo de fevereiro eu estava em Londres de novo. Peguei um trem para Leeds, onde tinha combinado com um motorista para me levar a Heptonstall. Dessa vez levei um monte de filmes e preparei minha câmera Land 250, depois de consertar os foles interiores com muita dificuldade. Chegamos a uma colina com uma estrada sinuosa e o motorista estacionou em frente às

sinistras ruínas da igreja de São Tomás de Canturária. Contornei as ruínas pelo lado oeste até um campo adjacente do outro lado de Black Lane e logo encontrei o túmulo da poeta.

— Eu voltei, Sylvia — murmurei, como se ela estivesse me esperando.

Eu não contava com toda aquela neve. Ela refletia o céu calcário já infundido de manchas escuras. Tudo aquilo seria muito difícil para minha simples câmera, com toda aquela luz demais e, depois, de menos. Após meia hora meus dedos estavam enregelados e o vento começou a aumentar, mas teimosamente continuei a tirar fotos. Tinha esperança de que o sol reaparecesse, e continuei fotografando de forma irracional, usando todo meu filme. Nenhuma das fotos saiu boa. Eu estava dormente de frio, mas não conseguia ir embora. Era um lugar tão desolado no inverno, tão solitário. Fiquei matutando por que o marido a havia enterrado aqui. Por que não na Nova Inglaterra perto do mar, onde ela tinha nascido, onde os ventos salgados poderiam espiralar sobre o nome PLATH gravado em pedra nativa? Tive uma incontrolável vontade de urinar e imaginei o pequeno riacho se formando, parte de mim desejando que ela sentisse aquele calor humano por perto.

Vida, Sylvia. Vida.

Não vi o balde cheio de canetas, talvez fosse retirado durante o inverno. Revirei os bolsos e tirei um caderninho espiralado, uma fita roxa e uma meia de algodão fina com uma abelha bordada no cano. Amarrei tudo com a fita roxa e deixei na lápide. As últimas luzes já esmaeciam quando voltei andando em direção ao pesado portão. No momento em que eu estava quase chegando ao carro o sol reapareceu, como que por vingança. Comecei a me virar, quando uma voz sussurrou:

— Não olhe para trás, não olhe para trás.

Era como se a mulher de Lot, uma estátua de sal, tivesse surgido no terreno coberto de neve e projetado uma faixa de calor alongado, derretendo tudo em seu trajeto. O calor atraiu vida, bem como tufos de vegetação e uma lenta procissão de almas. Sylvia, com um suéter cor de creme e uma camisa lisa, protegendo os olhos do sol brincalhão, caminhando para um grande retorno.

No início da primavera visitei o túmulo de Sylvia Plath uma terceira vez, acompanhada de minha irmã Linda. Ela queria muito viajar pela terra das irmãs Brontë, e nós fizemos isso juntas. Seguimos os passos das Brontë e subimos a serra para então refazer os meus. Linda se deliciou com os campos verdejantes, as flores silvestres e as ruínas góticas. Eu fiquei em silêncio ao lado do túmulo, consciente de uma rara paz em suspensão.

Peregrinos espanhóis viajam pelo Caminho de Santiago de mosteiro em mosteiro, recolhendo medalhinhas para colocar nos rosários como prova de seus passos. Eu tenho pilhas de fotos Polaroid, cada uma marcando meus passos, que às vezes espalho como cartas de tarô ou figurinhas de beisebol de uma imaginária equipe celestial. Uma delas é de Sylvia na primavera. É muito bonita, mas não possui a cintilante qualidade das fotos perdidas. Nada pode na verdade ser replicado. Nenhum amor, nenhuma joia, nenhuma frase.

Acordei com o som dos sinos tocando na torre da igreja de Nossa Senhora de Pompeia. Eram oito horas da manhã. Finalmente um arremedo de sincronicidade. Já estava cansada de tomar meu café da manhã à noite. Voltar

Túmulo de Sylvia Plath, inverno.

para casa via Los Angeles distorceu algum mecanismo interno em mim, e passei a funcionar em um tempo interrompido por si mesmo, como um relógio cuco errante. Minha reentrada tinha evoluído estranhamente. Vítima de minha própria comédia de erros, minha mala e meu computador foram parar em Venice Beach, e apesar de estar só com uma sacola de algodão preta para cuidar, esqueci meu caderno no avião. Chegando em casa, incrédula, despejei o escasso conteúdo da sacola em cima da cama, examinando tudo muitas vezes para ver se o caderno aparecia entre outros itens nos recônditos negativos. Cairo ficou sentada na sacola vazia. Olhei ao redor do quarto, desanimada. Eu já tenho coisas suficientes, disse a mim mesma.

Dias depois um envelope pardo sem remetente surgiu na minha caixa de correio; dava para divisar o contorno do Moleskine preto. Agradecida, porém perplexa, abri o envelope. Não havia nenhum bilhete, ninguém para agradecer senão o demônio do ar. Peguei a fotografia de Sylvia na neve e observei com atenção. Minha punição por estar tão pouco presente no mundo, não o mundo das páginas dos livros, ou das camadas atmosféricas da minha mente, mas o mundo que é real para os outros. Guardei a foto entre as páginas de *Ariel*. Sentei para ler o pequeno poema, fazendo uma pausa nos versos "E eu/ Sou a flecha", um mantra que já havia dado força a uma garotinha muito estranha, porém determinada. Eu quase tinha esquecido. Robert Lowell nos diz na introdução que Ariel não se refere ao espírito camaleônico de *A tempestade*, de Shakespeare, mas ao cavalo favorito de Sylvia. Mas talvez o nome do cavalo tenha se inspirado no espírito de *A tempestade*. O anjo Ariel, também o leão de Deus. Todos são bons, mas é o cavalo que passa voando pela linha de chegada com os braços de Sylvia enlaçados em seu pescoço.

Havia também um manuscrito solto de um poema chamado "New Foal", que eu tinha metido dentro do livro algum tempo atrás. Descrevia o nascimento de um potro, remetendo ao Super-Homem bebê, encrustado em uma cápsula escura e lançado ao espaço em direção à Terra. O potro aterrissa, hesita, é polido por Deus e pelos homens para se tornar cavalo. A poeta que o escreveu já virou poeira, mas o potro que criou segue vivo, nascendo e renascendo continuamente.

Eu estava feliz de estar em casa, dormindo na minha cama, com minha televisãozinha e todos os meus livros. Tinha ficado fora só algumas semanas, mas por alguma razão pareciam meses. Era hora de resgatar um pouco da minha rotina. Ainda estava muito cedo para ir ao 'Ino, por isso resolvi ler. Ou melhor, fiquei olhando as imagens de *As borboletas de Nabokov* e lendo todas as legendas. Depois me lavei, vesti algumas variantes limpas do que já estava usando, peguei meu caderno e desci a escada correndo com os gatos atrás de mim, finalmente se identificando com os meus hábitos.

Ventos de março, os dois pés no chão. O feitiço do fuso horário estava quebrado, eu não via a hora de sentar à minha mesa de canto e de me servirem um café preto, torrada de pão integral e azeite sem nem ter de pedir. O número de pombos na Bedford Street era duas vezes maior que o habitual, e alguns narcisos silvestres haviam chegado mais cedo. De início não registrei, mas depois percebi que o toldo vermelho-alaranjado do 'Ino não se encontrava mais ali. A porta estava fechada, mas vi Jason lá dentro e bati na vitrine.

— Que bom que você veio. Vou preparar um último café pra você.

Eu estava atordoada demais para falar. Ele ia fechar o lugar, simplesmente assim. Olhei para o meu canto. Vi a mim mesma sentada lá em incontáveis manhãs ao longo de incontáveis anos.

— Posso sentar? — perguntei.

— Claro, vai nessa.

Fiquei lá a manhã toda. Uma garota nova que frequentava o café passou com uma Polaroid idêntica à minha. Acenei e saí para cumprimentá-la.

— Oi, Claire, você tem um minuto?

— Claro — ela respondeu.

Pedi para ela tirar uma foto minha. A primeira e última foto na minha mesa de canto no 'Ino. Ela ficou triste por mim, tendo me visto muitas vezes pela vitrine quando passava. Tirou algumas fotos e deixou uma delas na mesa — a imagem do desolamento. Agradeci e ela foi embora. Fiquei lá um bom tempo, pensando em nada, depois peguei minha caneta branca e escrevi sobre o poço e o rosto de Jean Reno. Escrevi sobre o vaqueiro e o sorriso irônico do meu marido. Escrevi sobre os morcegos de Austin, no Texas, e sobre cadeiras metálicas na sala de interrogatório de *Criminal Intent*. Escrevi até a exaustão, as últimas palavras escritas no Café 'Ino.

Antes de nos despedirmos, eu e Jason passamos os olhos por todo o local. Não perguntei por que ele ia fechar as portas. Imaginei que tivesse suas razões, e, de qualquer forma, a resposta não faria diferença nenhuma.

Disse adeus ao meu canto.

— O que vai acontecer com as mesas e cadeiras? — perguntei.

— Está falando da sua mesa e da sua cadeira?

— Sim, principalmente.

— São suas — ele disse. — Eu levo para você mais tarde.

Naquela noite, Jason levou a mesa e a cadeira de Bedford Street pela Sexta Avenida, a mesma rota que eu fazia havia mais de uma década. Minha mesa e a cadeira do Café 'Ino. Meu portal para onde.

Subi os catorze degraus até meu quarto, apaguei a luz e fiquei deitada acordada. Fiquei pensando em como a cidade de Nova York à noite parece um

palco montado. Pensando sobre o fato de, no voo de Londres para casa, eu ter assistido a um piloto de uma série de TV de que nunca havido ouvido falar, chamada *Person of Interest*, e que duas noites depois uma equipe de filmagem na minha rua pediu para eu não passar enquanto eles gravavam, e que então vi o protagonista de *Person of Interest* sendo baleado numa cena embaixo de um andaime de uns cinco metros à direita da minha porta. Fiquei pensando no quanto adoro esta cidade.

Encontrei o controle remoto e assisti ao final de um episódio de *Doctor Who*. Na versão com David Tennant; para mim, o único Doctor Who de verdade.

— Pode-se tolerar o demônio pelo bem de um anjo — Madame Pompadour lhe fala, antes de ele se transportar para outra dimensão. Fiquei pensando que bela dupla eles teriam feito. Fiquei pensando nas crianças francesas com sotaque escocês viajando no tempo e comovendo corações no futuro. Um toldo vermelho-alaranjado girava na minha cabeça como um pequeno ciclone. Considerei se seria possível divisar algum pensamento de outro tipo.

Já estava quase amanhecendo quando enfim adormeci. Tive outro sonho com o café no deserto. Dessa vez o vaqueiro estava de pé na porta, observando a planície aberta. Ele estendeu a mão e apertou meu braço de leve. Notei que havia uma lua crescente tatuada entre seu polegar e o indicador. A mão de um escritor.

— Por que será que nos separamos um do outro, e depois sempre voltamos?

— Nós realmente voltamos um para o outro ou só voltamos aqui e colidimos preguiçosamente? — perguntei.

Ele não respondeu.

— Não existe nada mais solitário que a terra — disse ele.

— Por que solitário?

— Por ser tão livre.

E aí ele se foi. Andei até onde ele estava e senti o calor de sua presença. O vento aumentou, fragmentos inidentificáveis circulavam no ar. Alguma coisa estava chegando, eu podia sentir.

Saí da cama de repente, totalmente vestida. Continuava pensando. Ainda meio dormindo, calcei as botas e puxei um baú entalhado espanhol do fundo do armário. A pátina tinha a aparência de uma sela gasta, um baú com várias gavetas cheias de objetos, alguns sagrados e outros cuja origem fora inteiramente esquecida. Encontrei o que estava procurando — a foto de um galgo inglês com a inscrição *Specter, 1971* no verso. Estava entre as páginas de um velho exemplar de *A lua do falcão*, de Sam Shepard, com sua dedicatória: "Se você esqueceu a fome está louca". Fui até o banheiro me lavar. Achei um exemplar ligeiramente ensopado de *Declínio de um homem* no chão, embaixo da pia. Lavei o rosto, peguei meu caderno e saí para ir ao Café 'Ino. No meio do caminho, na Sexta Avenida, eu lembrei.

Comecei a passar mais tempo no Dante, mas em horas irregulares. Nas manhãs eu só tomava um café da delicatéssen e ficava sentada na minha sacada. Refleti como minhas manhãs no Café 'Ino não apenas tinham prolongado, mas também propiciado certa grandeza ao meu mal-estar. Obrigada, falei. Tenho vivido de acordo com o meu livro. Um livro que nunca planejei escrever, registrando o tempo para trás e para a frente. Já vi a neve cair no mar e segui os passos de um viajante que há muito se foi. Revivi momentos que foram perfeitos em sua certeza. Fred abotoando a camisa cáqui que usava nas aulas de voo. Pombos voltando para o ninho na nossa sacada. Nossa filha Jesse estendendo os braços de pé na minha frente.

— Ah, mamãe, às vezes eu me sinto como uma árvore nova.

Desejamos coisas que não podemos ter. Tentamos conservar certos momentos, sons, sensações. Quero ouvir a voz da minha mãe. Quero ver meus filhos ainda crianças. Mãozinhas pequenas, pés ligeiros. Tudo muda. Garoto crescido, pai morto, filha mais alta que eu, chorando por causa de um sonho ruim. Por favor, fiquem aqui para sempre, digo para as coisas. Não vão embora. Não cresçam.

Um sonho de Alfred Wegener

Mais uma noite agitada. Levantei de madrugada e fiquei trabalhando, meus olhos ardendo de tanto decifrar garatujas em envelopes, folhas de guarda de livros e guardanapos manchados, depois passei tudo para o computador fora de ordem, tentando encontrar o sentido de uma narrativa subjetiva com uma linha de tempo assimétrica. Larguei tudo em cima da cama e fui ao Caffè Dante. Deixei meu café esfriar enquanto pensava em detetives. Parceiros dependem uns dos olhos dos outros. Um deles pede: diga o que você está vendo. O parceiro deve certamente falar, sem deixar nada de fora. Mas um escritor não tem um parceiro. Ele tem que dar um passo para trás e perguntar a si mesmo: diga o que você está vendo. Mas como está falando consigo mesmo, ele não precisa ser perfeitamente claro, pois alguma coisa dentro dele sabe de todas as partes faltantes — aquilo que é confuso ou apenas parcialmente articulado. Fiquei imaginando se eu teria sido uma boa detetive. É doloroso dizer, mas acho que não. Não sou do tipo observador. Meus olhos parecem se virar para dentro. Paguei a conta, admirada com o fato de os mesmos murais de Dante e Beatriz revestirem as paredes do café desde a minha primeira vez ali, em 1963. Depois saí e fui fazer compras. Comprei uma nova tradução de *A divina comédia* e cadarços para minhas botas. Notei que me sentia otimista.

Fui até a caixa postal e peguei minha correspondência. Uma primeira edição de *A Scarcity of Love*, de Anna Kavan, dois cheques referentes a direitos autorais, um grosso catálogo da loja de móveis Restoration Hardware e uma carta urgente da secretária do CDC. Estava sem o lacre de costume, por isso abri depressa, com certa trepidação. Continha uma única folha de papel com marca-d'água, avisando a todos os membros que o Continental Drift Club estava formalmente extinto. Sugerindo que rasgássemos toda correspondência oficial com o logotipo ou timbre do CDC e desejando a todos saúde e felicidade. No final da página ela tinha escrito a lápis: *Espero nos encontrarmos de novo.* Imediatamente escrevi uma breve nota prometendo que faria o que estava sendo pedido, acrescentando alguns versos que havia escrito para o tema musical do CDC. Enquanto endereçava o envelope, pude ouvir o som melancólico do acordeão do Número 7.

Saints day in the snow, where did Wegener go
Only Rasmus knows, and he is in God's hands
Raise an iron cross, he's no longer lost
*Found within are notes, and they are in God's hands.**

Retirei uma caixa de arquivo cinza da prateleira superior do meu closet e espalhei o conteúdo dela na cama — um dossiê contendo nossos objetivos, listas de leituras, minha confirmação oficial como membro e um cartão vermelho — Número 23. Também uma pilha de guardanapos anotados, uma foto do tabuleiro de xadrez usado por Bobby Fischer e Boris Spassky e meu esboço de Fritz Loewe para a newsletter de 2010. Não abri o pacote de cartas oficiais amarrado com uma fita azul. Preferi acender uma pequena fogueira e ficar vendo tudo queimar. Suspirei e amassei os guardanapos de papel com as anotações da minha infeliz palestra. Minha intenção era evocar os últimos momentos da vida de Alfred Wegener a partir do pensamento comum de todos os membros diante da indagação: o que ele viu? Mas o pequeno caos que sem querer provoquei impediu qualquer possibilidade de obter uma visão semelhante à poesia.

* "Dia de santos na neve, para onde foi Wegener/ Só Rasmus sabe, e ele está nas mãos de Deus/ Levantem uma cruz de ferro, ele não está mais perdido/ Encontradas algumas anotações, e elas estão nas mãos de Deus." (N. T.)

Bata de Percival, Neuhardenberg.

Wegener partiu de Eismitte no Dia de Todos os Santos em busca de provisões para seus amigos, que esperavam ansiosos por seu retorno. Era seu aniversário de cinquenta anos. O horizonte branco acenava. Ele detectou um arco de luz manchando a neve. Uma alma se separando de outra. Chamou por seu amor, a um continente à deriva de distância. Caindo de joelhos, pôde ver seu guia, alguns metros à frente, erguendo os braços.

Joguei os guardanapos amassados no fogo, que se fecharam como punhos, reabrindo-se lentamente como pequenas rosas-de-cem-folhas. Fascinada, fiquei observando enquanto se fundiam e formavam uma rosa enorme. Subindo e pairando acima da tenda do cientista adormecido. Os grandes espinhos rasgando a lona, a densa fragrância penetrando e embalando seu sono, sintonizando sua respiração. Fui agraciada com uma visão de seus últimos momentos, subindo na fumaça dos queridos mementos do Continental Drift Club. Um entusiasmo pulsou em mim, numa linguagem que eu conhecia bem. São tempos modernos, disse a mim mesma. Mas não estamos presos a eles. Podemos ir aonde quisermos, nos comunicando com anjos, para retomar um tempo na história humana de ainda mais ficção científica que o futuro.

> *I have smoothed the hem of the robe of Parsifal.*
> *Watched Giotto's sheep wander from a fresco.*
> *Prayed before holy icons unveiled, surviving time.*
> *Held shavings swept from the hut of Geppetto.*
> *Unzipped a body bag and beheld the face of my brother.*
> *Witnessed the acolyte scatter petals over a dying poet.*
> *I saw the smoke of incense form the shape of my days.*
> *I saw my love return to God.*
> *I saw things as they are.**

* "Assentei a bainha da bata de Percival./ Vi os carneiros de Giotto saírem de um afresco./ Rezei ante ícones sagrados revelados, sobrevivendo ao tempo./ Segurei aparas raspadas da cabana de Gepeto./ Abri o zíper de um saco para corpos e contemplei o rosto do meu irmão./ Testemunhei o acólito espalhar pétalas sobre um poeta moribundo./ Vi a fumaça de incenso dar forma aos meus dias./ Vi meu amor retornar a Deus./ Vi coisas como elas são." (N. T.)

Caco a caco somos libertados da tirania do que se chama de tempo. Uma cortina de glicínia púrpura esconde parcialmente a entrada de um jardim conhecido. Ocupo meu lugar a uma mesa oval, o portal de Schiller, e estendo o braço para acariciar o pulso do matemático de olhos tristes. Fecha-se o abismo da separação. Em um piscar de olhos, o tempo de uma vida, passamos por infinitos movimentos de um silencioso prelúdio. Uma despreocupada procissão passa ao largo dos muros de uma ilustre instituição: Joseph Knecht, Évariste Galois, membros do Círculo de Viena. Observo quando ele se levanta, seguindo os passos deles, assobiando baixinho.

As longas videiras balançam muito levemente. Visualizo Alfred Wegener e sua esposa Else tomando chá em um salão inundado de luz. E começo a escrever. Não sobre ciência, mas sobre o coração humano. Escrevo ardentemente, como uma aluna em sua carteira escolar, debruçada sobre o caderno de redação, escrevendo não como foi mandada, mas como deseja.

Detalhe de estátua, igreja de Santa Marina e São Nicolau.

Estrada para Larache

No dia 1º de abril, Dia da Mentira, me preparei relutantemente para mais uma viagem. Fui convidada a participar de uma conferência de poetas e músicos em Tânger em homenagem aos escritores beat que no passado fizeram da cidade seu porto de escala. Eu preferia muito mais estar em Rockaway Beach, tomando café com os operários e assistindo ao lento porém significativo processo de restauração da minha casinha. Por outro lado, eu ia me encontrar com bons amigos, e o dia 15 de abril marcaria a data da morte de Jean Genet. Pareceu o momento certo para deixar as pedras da prisão de Saint-Laurent em seu túmulo em Larache, a apenas dez quilômetros da conferência.

Paul Bowles disse certa vez que Tânger é um lugar onde o passado e o presente existem simultaneamente, em graus proporcionais. Há alguma coisa escondida no tecido dessa cidade, uma tessitura que produz uma sensação de boas-vindas misturada com desconfiança. Vi um pouco de Tânger, primeiro através do seu trabalho, depois com seus olhos.

Fui apresentada a Bowles de uma forma auspiciosa. No verão de 1967, pouco depois de sair de casa e ir para Nova York, passei por um grande caixote transbordando livros na rua. Vários estavam espalhados pela calçada, e um exemplar datado de *Who's Who in America* jazia aberto aos meus pés. Quando abaixei para olhar, uma fotografia me chamou a atenção, no alto de um verbete sobre Paul

Frederic Bowles. Eu nunca tinha ouvido falar dele, mas reparei que fazíamos aniversário no mesmo dia, em 30 de dezembro. Acreditando que aquilo fosse um sinal, arranquei a página e saí em busca de livros dele, sendo que o primeiro foi *O céu que nos protege*. Li tudo o que ele escreveu, bem como suas traduções, que me apresentaram as obras de Mohammed Mrabet e Isabelle Eberhardt.

Três décadas depois, em 1997, a revista alemã *Vogue* me pediu para entrevistá-lo em Tânger. Tive sentimentos conflitivos a respeito do trabalho, pois eles haviam acrescentado que ele estava doente. Mas me garantiram que ele havia concordado prontamente e que eu não o estaria perturbando. Bowles morava em um apartamento de três cômodos numa rua tranquila, num edifício modernista dos anos 1950 em um bairro residencial. Uma grande pilha de malas e baús bem viajados formavam uma coluna no vestíbulo. As paredes eram forradas de livros de ponta a ponta, livros que eu conhecia e outros que gostaria de conhecer. Ele estava sentado na cama, usando um roupão xadrez macio, e pareceu se alegrar quando entrei no recinto.

Agachei, tentando encontrar uma posição graciosa naquela atmosfera desconfortável. Conversamos sobre sua falecida esposa Jane, cujo espírito parecia estar em toda parte. Fiquei ali torcendo minhas tranças, falando sobre o amor. Matutando se ele realmente estava ouvindo.

— Você está escrevendo? — perguntei.

— Não, não estou mais escrevendo.

— Como está se sentindo no momento? — perguntei.

— Vazio — ele respondeu.

Deixei-o com seus pensamentos e subi até o pátio na cobertura. Não havia camelos naquele espaço. Nenhum saco de estopa transbordando haxixe. Nenhum *sebsi*, o cachimbo comprido marroquino, espetado na boca de um jarro. Era apenas uma cobertura cimentada com vista para outros telhados, com peças de musselina penduradas em varais que se entrecruzavam no espaço aberto ao céu azul de Tânger. Encostei o rosto em um dos lençóis úmidos por um momento para mitigar o calor sufocante, mas imediatamente me arrependi de ter feito isso, pois meu toque conspurcou sua suave perfeição.

Voltei para onde ele estava. O roupão se estendia aos seus pés, os chinelos de couro já bem gastos ao lado da cama. Um simpático marroquino chamado Karim nos serviu um chá. Ele morava no apartamento em frente e costumava vir ver como Paul estava.

Com Paul Bowles, Tânger, 1997.

Paul falou de uma ilha de que era proprietário, mas que não mais visitava, de músicas que não mais tocava, de certos cantos de pássaros agora extintos. Pude ver que estava ficando cansado.

— Nós fazemos aniversário no mesmo dia — contei a ele.

Ele abriu um sorriso triste, fechando os olhos aureolados. Estávamos chegando ao fim da minha visita.

Tudo se projeta para a frente. Fotografa sua história. Registra suas palavras. Cerceia seus sons. Os espíritos se erguem como um éter, gerando um arabesco e se assentando com a delicadeza de uma máscara benevolente.

— Paul, eu preciso ir. Mas vou voltar para visitar você.

Ele abriu os olhos e pousou a mão comprida e enrugada sobre a minha. Agora ele está morto.

Abri o tampo da minha escrivaninha e localizei a grande caixa de fósforos Gitane, ainda embrulhada no lenço de Fred. Eu não abria aquilo havia duas décadas. As pedras continuavam lá com fragmentos de terra da prisão. Aquela visão abriu a ferida do reconhecimento. Era hora de devolver aquilo, embora não da forma como eu tinha planejado. Eu já havia escrito a Karim dizendo que estava chegando. Quando nos conhecemos no apartamento de Paul, contei a ele a história das pedras e ele prometeu que, quando o momento chegasse, me levaria até o cemitério cristão de Larache onde Genet estava enterrado.

Karim respondeu prontamente, como se o tempo não tivesse passado.

— Estou no deserto, mas vou me encontrar com você e vamos nos encontrar com Genet.

Eu sabia que ele iria cumprir sua promessa.

Limpei minha câmera, enrolei alguns tubos de filmes numa bandana e a coloquei entre minhas camisas e macacões. Eu estava viajando ainda mais leve que o habitual. Me despedi dos gatos, enfiei a caixa de fósforos no bolso e saí. Meus companheiros e compatriotas Lenny Kaye e Tony Shanahan me encontraram no aeroporto com seus violões — a primeira vez que estaríamos juntos no Marrocos. Na manhã seguinte fomos recebidos em Casablanca, mas a van da conferência quebrou a caminho de Tânger. Sentamos ao lado da estrada trocando histórias de William e Allen, Peter e Paul, nossos apóstolos beats. Logo embarcamos num animado ônibus com rádios gritando em árabe e francês, passando por uma bicicleta quebrada, um burro mancando e uma criança tirando pedrinhas de um joelho machucado. Um dos passageiros, uma mulher prostrada com o peso de várias sacolas de mercado, estava azucrinando o motorista. Finalmente ele parou o ônibus e algumas pessoas desceram para comprar garrafas de Coca-Cola numa loja de conveniência. Quando olhei para fora, vi a palavra "Kiosque" escrita em estilo cúfico acima da porta.

Ficamos hospedados no Hôtel Rembrandt, um tradicional refúgio de escritores, de Tennessee Williams a Jane Bowles. Recebemos cadernos pretos com as palavras *Le Colloque à Tanger* inscritas em verde e nossas credenciais — o rosto áspero de William Burroughs superposto ao de Brion Gysin — um laminado da geração beat. Era o saguão da reunião. Poetas — Anne Waldman e John Giorno; Bachir Attar, líder do Master Musicians of Jajouka; os músicos Lenny Kaye e Tony Shanahan. Alain Lahana, do Le Rat des Villes, vindo de Paris, o cineasta Frieder Schlaich, de Berlim, e Karim, chegando de carro do deserto. Por um momento ficamos todos olhando uns para os outros — órfãos dos beats do passado.

Nos reunimos no começo da tarde para leituras e painéis de discussão. Enquanto líamos trechos dos escritores que estávamos saudando, uma procissão dos casacões usados por nossos grandes mestres entravam e saíam da minha linha de visão. Durante a noite, músicos faziam improvisos e dervixes rodopiavam. Eu e Lenny entramos no ritmo familiar de nossa incondicional amizade. Nós nos conhecíamos havia mais de quarenta anos. Compartilhávamos as mesmas leituras, os mesmos palcos, o mesmo mês de nascimento, o mesmo ano. Já fazia tempo que sonhávamos em trabalhar em Tânger, e saímos andando a esmo pela casbá em um silêncio feliz. As ruelas sinuosas eram banhadas por uma luz dourada que seguimos religiosamente até percebermos que estávamos andando em círculos.

Depois de cumprir nossos deveres, passamos a noite no Palais Moulay Hafid ouvindo os Master Musicians of Jajouka, seguidos por Dar Gnawa. A animação da música me deu vontade de dançar; dancei rodeada por garotos mais novos que o meu filho. Nossos movimentos seguiam um estilo semelhante, mas eles mostravam uma inventividade e uma flexibilidade que me deixaram espantada. Quando saí para caminhar de manhã, vi alguns dos rapazes fumando em frente a um cinema abandonado.

— Vocês acordam cedo — falei.

Eles deram risada.

— Nós ainda não dormimos.

Na última noite, uma figura pequena porém imponente, usando um *djellaba* branco com bordados dourados, entrou na nossa área comum. Era Mohammed Mrabet, e todos levantamos. Ele já tinha compartilhado um *sebsi* com nossos queridos amigos, e as vibrações deles podiam ser sentidas nas dobras de sua túnica. Na juventude, ele sentava a uma mesa contando histórias a Paul Bowles, que as traduziu para a Black Sparrow Press. Reunidas, elas formavam uma teia de contos maravilhosos, como os de *The Beach Café*, que eu havia lido e relido no Caffè Dante enquanto sonhava em montar o meu próprio café.

— Você quer ir ao café da praia amanhã? — perguntou Karim.

Eu nunca pensei que o café realmente existisse.

— Um café de verdade? — perguntei, surpresa.

— Sim — ele respondeu sorrindo.

Acordei cedo na manhã seguinte e encontrei Lenny no Gran Café de Paris, no Boulevard Pasteur. Eu tinha visto fotos de Genet ali, tomando chá com o escritor Mohamed Choukri. Embora parecesse um café do começo dos anos 1960, não se servia café de verdade lá, só chá e Nescafé. Paredes forradas de painéis de madeira entalhados bancos estofados em couro toalhas de mesa cor de vinho pesados cinzeiros de vidro. Nos acomodamos em confortável silêncio num canto arredondado com grandes janelas, de onde podíamos observar as idas e vindas das ruas lá fora. Meu Nescafé foi servido num tubo mole com um copo de água quente. Lenny pediu chá. Vários homens se reuniam para fumar charutos debaixo de um retrato desbotado do rei com uma vara de pescar e a impressionante quantidade de peixes fisgados. Na parede de mármore verde havia um relógio no formato de um grande sol de estanho marcando o tempo numa região intemporal.

Eu e Lenny fomos com Karim de carro até o litoral para conhecer o café da praia. Parecia estar fechado, e a praia deserta, um posto avançado do outro lado do espelho do vaqueiro. Karim entrou e achou um homem que a contragosto nos preparou um chá de menta. Ele o trouxe até uma mesa do lado de fora e voltou para dentro. Lá na praia, escondidos por um penhasco, vimos os quartos descritos por Mrabet. Tirei os sapatos, arregacei as barras da calça e entrei no mar em um lugar que havia conhecido pelas páginas do livro dele.

Fiquei me secando ao sol e tomando um pouco de chá, que era muito doce. Havia muitos lugares para sentar, mas fui atraída para uma cadeira de plástico branca com adornos encostada em um arbusto de morácea. Tirei duas fotos e passei a câmera a Lenny para ele me fotografar na cadeira. Voltei à mesa a poucos metros dali e tirei o filme da Polaroid; não fiquei satisfeita com minha figura na cadeira e me virei para tirar outra foto, mas ela tinha sumido. Eu e Lenny ficamos atônitos. Não havia ninguém por perto e a cadeira havia desaparecido em segundos.

— Que loucura — disse Lenny.

— Nós estamos em Tânger — falou Karim.

Karim entrou no café e eu fui atrás. O lugar estava vazio. Deixei minha foto com a cadeira branca no meio da mesa.

— Isso também é Tânger — falei.

Percorremos de carro a costa ao som das ondas e do onipresente canto dos grilos, seguimos por um redemoinho de estradas empoeiradas, passando por aldeias de casas caiadas e pedaços de deserto pontilhado de flores amarelas. Karim estacionou ao lado da estrada e o seguimos até a casa de Mrabet. Enquanto descíamos a encosta, um desgovernado rebanho de cabras estava subindo. Para nosso deleite, elas se separaram para nos contornar. O dono da casa não estava, mas suas cabras nos receberam. Enquanto voltávamos a Tânger, vimos um pastor conduzindo um camelo e seu filhote. Abaixei o vidro da janela e gritei:

— Como se chama o pequenino?

— Ele se chama Jimi Hendrix.

— Uau, estou acordando de ontem!*

— *Inshallah!* — ele gritou.

Acordei cedo, enfiei a caixa de fósforos no bolso e fui tomar um último café no Café de Paris. Sentindo-me estranhamente distanciada, fiquei pensando se não estava prestes a me envolver num ritual sem sentido. Genet tinha falecido na primavera de 1986, antes de eu conseguir completar minha missão,

---

* No original em inglês — *"Hooray, I wake from yesterday!"* — é o primeiro verso da música "1983... (A Merman I Should Turn To Be)", de Jimi Hendrix, do The Jimi Hendrix Experience, do álbum *Electric Ladyland*. (N. T.)

e as pedras ficaram na minha escrivaninha por mais de duas décadas. Pedi outro Nescafé, rememorando.

Eu estava na mesa de café da cozinha, debaixo do retrato de Camus quando ouvi a notícia. Fred pousou a mão no meu ombro, e me deixou com meus pensamentos. Tive uma sensação de pesar, de atitude em suspenso, mas não podia fazer nada a não ser oferecer as palavras que conseguisse escrever.

No início de abril, Genet viajou de Marrocos a Paris com seu companheiro Jacky Maglia para revisar as provas de seu editor daquele que seria seu último livro. Ele foi barrado em sua residência costumeira em Paris, o Hôtel Rubens, pois um funcionário do turno da noite não o reconheceu e se sentiu incomodado com sua aparência de vagabundo. Os dois saíram debaixo de uma chuvarada procurando um lugar para ficar, e acabaram no Hôtel Jack, na época um sórdido uma estrela perto da Place d'Italie.

Em um quarto não maior que uma cela, Genet trabalhou em suas páginas. Apesar de sofrer de um câncer terminal na garganta, ele evitava analgésicos, determinado a continuar lúcido. Depois de ter tomado barbitúricos a vida inteira, Genet se absteve justamente quando mais precisava deles, pois o desejo de aperfeiçoar seu manuscrito superava todos seus sofrimentos físicos.

No dia 15 de abril, Jean Genet morreu sozinho no chão do banheiro de seu minúsculo quarto naquele hotel temporário. O mais provável é que ele tenha tropeçado num pequeno degrau que levava ao cubículo. Na mesinha de cabeceira estava seu legado, seu último trabalho intacto. No mesmo dia, os Estados Unidos bombardearam a Líbia. Houve rumores de que Hana Gaddafi, filha adotiva do coronel Gaddafi, teria sido morta no ataque. Enquanto escrevia, eu imaginava a inocente órfã levando pela mão o ladrão, igualmente órfão, em direção ao paraíso.

Meu Nescafé tinha esfriado. Pedi outro. Lenny chegou e pediu um chá. A manhã estava em câmera lenta. Ficamos observando o recinto, sabendo que os escritores que tanto admirávamos tinham passado muitas horas conversando ali. Eles ainda estão aqui, concordamos, e voltamos para o hotel.

Karim foi chamado de volta ao deserto, mas Frieder arranjou um motorista para nos levar a Larache. Cinco de nós se reuniram — Lenny, Tony, Frieder, Alain e eu —, todos estendendo a mão para Genet. Cercada de amigos, não tinha conseguido prever a profunda solidão que iria sentir, nem a dor no coração, que tive de usar todas as minhas forças para amenizar. Genet estava morto e não pertencia a ninguém. Minha experiência com Fred, que tinha me levado até Saint-Laurent-du-Maroni por conta de algumas pedrinhas, pertencia a mim. Por mais que tentasse, não consegui sentir sua presença, e tive que afundar nos vestígios da memória até encontrá-la. Com suas roupas cáqui, o cabelo comprido aparado, de pé na grama alta com as mãos abertas. Vi sua aliança e seus sapatos marrons de couro.

Conforme nos aproximávamos da cidade de Larache a sensação do mar foi ficando mais forte. Era um antigo porto de pesca, não longe das velhas ruínas fenícias. Estacionamos perto de uma fortaleza e subimos uma colina até o cemitério. Uma senhora e um garotinho estavam lá, como que nos esperando, e abriram o portão para nós. O cemitério tinha uma atmosfera espanhola; o túmulo de Genet ficava no lado leste, de frente para o mar. Removi os detritos da lápide, afastando flores mortas, gravetos e pedaços de vidro quebrado, e limpei e lavei a tumba com água mineral. O garoto me olhava com atenção.

Disse as palavras que desejava dizer, despejei um pouco de água na terra e cavei fundo para enterrar as pedras. Enquanto depositávamos nossas flores, ouvimos um som ao longe do muezim chamando as pessoas para a oração. O garoto ficou ali perto em silêncio enquanto eu enterrava as pedras e tirava pétalas das flores, que se espalharam sobre a calça dele, e nos olhava com grandes olhos escuros. Antes de sairmos ele me entregou o que restava de um botão de rosa acetinado, de um cor-de-rosa desbotado, que guardei na caixa de fósforos. Demos algum dinheiro para a senhora e ela fechou o portão. O garoto pareceu triste ao ver seus estranhos companheiros de folguedo partirem. A volta foi sonolenta. De vez em quando eu olhava para minhas fotos. No fim eu guardaria as fotos do túmulo de Genet numa caixa ao lado dos túmulos de outros. Mas no meu coração eu sabia que o milagre da rosa não eram as pedras, nem poderia ser encontrado nas fotos, pois estava nas células do garoto guardião, o prisioneiro do amor de Genet.

Túmulo de Genet, cemitério cristão de Larache.

Dia dos Pais, Lake Ann, Michigan.

Terra recoberta

O Memorial Day se aproximava rapidamente. Eu não via a hora de ir à minha casinha, meu Álamo, fosse de trem ou não. A grande tempestade destruiu a ponte ferroviária de Broad Channel, arrastando cerca de quinhentos metros de trilhos, inundando totalmente duas estações da linha A, exigindo grandes reparos nos sinais, na fiação e nas interligações. Não fazia sentido ficar impaciente. A tarefa continuava sendo desanimadora, como juntar as peças do bandolim destroçado de Bill Monroe.

Liguei para meu amigo Winch, o supervisor da minha lenta reforma, para pegar uma carona até Rockaway Beach. Fazia sol, embora o dia estivesse frio para a época, por isso usei minha velha japona e o meu gorro. Com tempo de sobra para matar, comprei um café grande na delicatéssen e fiquei esperando por ele na minha sacada. O céu estava claro, com exceção de umas poucas nuvens à deriva no céu; fiquei seguindo o percurso delas em direção ao norte de Michigan rumo a outro Memorial Day, em Traverse City. Fred estava voando, e eu e nosso jovem filho Jackson estávamos andando junto ao lago Michigan. A praia estava forrada de centenas de penas. Deitei sobre uma manta indígena, sacando minha caneta e meu caderno.

— Eu vou escrever — disse a Jackson. — O que você vai fazer?

Ele supervisionou a área com os olhos, fixando-os no céu.

— Eu vou pensar — ele respondeu.

— Bom, pensar é muito parecido com escrever.

— É — disse ele. — Só na sua cabeça.

Jackson ia fazer quatro anos e fiquei maravilhada com sua observação. Eu escrevendo, Jackson refletindo e Fred voando, de alguma forma tudo se ligava pelo sangue da concentração. Tivemos um dia feliz, e quando o sol começou a se pôr recolhi nossas coisas, junto com algumas penas, e Jack disparou na frente, ansiando pela volta do pai.

Mesmo hoje, com o pai morto há vinte anos e sendo Jackson um homem-feito à espera do próprio filho, ainda consigo visualizar aquela tarde. As ondas fortes do lago Michigan batendo na praia cheia de penas de gaivotas na época da muda. Os sapatinhos azuis de Jackson, seu jeito calado, o vapor subindo da minha garrafa térmica com café, e o aglomerado de nuvens que Fred estaria vendo da janela da cabine de um Piper Cherokee.

— Você acha que ele consegue ver a gente? — perguntou Jackson.

— Ele sempre vê a gente, meu garoto — respondi.

Imagens sempre têm um jeito de se dissolver e depois retornar abruptamente, trazendo junto a alegria e a dor ligadas a elas, como latinhas chacoalhando atrás de um carro antigo de um casamento. Um cachorro preto numa faixa de praia, Fred de pé sob a sombra das folhas de uma mangueira flanqueando a entrada para a prisão de Saint-Laurent, a caixa de fósforos Gitane azul e amarela embrulhada no lenço dele e Jackson disparando na frente, procurando o pai no céu claro.

Entrei na picape de Winch. Não falamos muito, os dois perdidos nos próprios pensamentos. O trânsito estava bom e chegamos em mais ou menos quarenta minutos. Nos encontramos com os quatro sujeitos que formavam a equipe dele. Trabalhadores dedicados, atentos às suas tarefas. Notei que todas as árvores do meu vizinho estavam mortas. Eram as árvores mais próximas das minhas. As imensas ondas que haviam inundado as ruas tinham matado a maior parte da vegetação. Inspecionei tudo o que havia para ver. As paredes de papelão mofadas que separavam pequenos aposentos haviam sido arrancadas, abrindo um grande salão com o teto abobadado de um século intacto, e o assoalho apodrecido estava sendo removido. Senti que havia algum progresso e saí dali um pouco otimista. Sentei no degrau improvisado do que seria minha varanda depois da reforma e imaginei um quintal com flores silvestres. Ansiosa por alguma permanência, acho que eu precisava ser lembrada do quanto a permanência é passageira.

Atravessei a rua em direção ao mar. Uma equipe de vigilância recém-estabelecida me afastou da área da praia. O local onde havia o calçadão estava sendo drenado. O posto avançado cor de areia que por pouco tempo abrigara o café de Zak estava sob cuidados do governo, foi repintado de amarelo-canário e azul-turquesa, acabando com seu apelo de Legião Estrangeira. Eu só podia torcer para que aquelas cores patéticas e berrantes desbotassem ao sol. Andei um pouco mais para ter acesso à praia, molhei os pés e depois tomei um café no único quiosque de tacos que havia sobrevivido.

Perguntei se alguém sabia de Zak.

— Foi ele quem fez o café, me disseram.

— Ele está aqui? — perguntei.

— Está por aí em algum lugar.

Nuvens passavam acima. Nuvens memoriais. Jatos de passageiros decolavam do JFK. Winch concluiu suas tarefas, voltamos à picape. Seguindo pelo canal, passamos pelo aeroporto, atravessando a ponte e chegando à cidade. Meu macacão ainda estava úmido da proximidade com o mar, e grãos de areia apanhados nas dobras da calça arregaçada caíram no chão. Quando terminei o café não consegui me separar do recipiente vazio. De repente me ocorreu que eu poderia preservar a história do 'Ino, do calçadão destruído e do que mais me viesse à mente em microtextos no copo de isopor, como um gravador copiando o Salmo 23 na cabeça de um alfinete.

Quando Fred morreu, fizemos seu memorial em Detroit, na Mariners' Church, onde havia sido nosso casamento. Todo mês de novembro o padre Ingalls, que nos casara, rezava uma missa em memória dos 29 marinheiros que naufragaram no Lake Superior no *Edmund Fitzgerald*, que sempre terminava com o pesado sino da irmandade tocando 29 vezes. Fred se sentia profundamente emocionado com esse ritual; seu memorial coincidiu com o deles, e o padre deixou as flores e o modelo do navio continuarem no altar. O padre Ingalls rezou a missa e usou uma âncora no pescoço, em vez de uma cruz.

Na tarde da missa, meu irmão, Todd, veio me buscar no apartamento, mas eu ainda estava na cama.

— Eu não vou conseguir — disse a ele.

— Você precisa ir — ele retrucou com firmeza, e me chacoalhou do meu torpor, ajudou a me vestir e me levou de carro para a igreja. Enquanto pensava sobre o que iria dizer, a canção "What a Wonderful World" começou a tocar no rádio. Sempre que a ouvíamos Fred dizia: Trisha, é a sua música. Por que essa é a minha música?, eu protestava. Eu nem gosto do Louis Armstrong. Mas ele insistia que era a minha música. Aquilo pareceu um sinal do Fred, por isso resolvi cantar "What a Wonderful World" a capela na missa. Enquanto cantava, senti a beleza simplista da música, mas ainda não entendia por que ele a relacionava comigo, uma pergunta que eu tinha esperado demais para fazer. Agora é a sua música, falei, dirigindo-me a um permanente vazio. O mundo parecia drenado de maravilhas. Não escrevi poemas ardentes. Não vi o espírito de Fred à minha frente nem senti a rodopiante trajetória de sua jornada.

Meu irmão ficou comigo durante os dias que se seguiram. Ele prometeu às crianças que estaria sempre por perto e que voltaria depois das festas. Mas exatamente um mês depois ele sofreu um grave derrame enquanto embrulhava os presentes de Natal para sua filha. A súbita morte de Todd, logo depois do perda de Fred, pareceu insuportável. O choque me deixou entorpecida. Eu passava horas sentada na cadeira favorita de Fred, aterrorizada com minha própria imaginação. Levantava para realizar as tarefas mais simples com a mesma concentração de alguém aprisionado no gelo.

Acabei saindo de Michigan e voltando a Nova York com nossos filhos. Uma tarde, enquanto atravessava a rua, percebi que estava chorando. Mas não consegui identificar a fonte das minhas lágrimas. Senti uma onda de calor contendo as cores do outono. A pedra escura no meu coração pulsava em silêncio, queimando como brasa numa lareira. Quem está no meu coração?, eu me perguntava.

Logo reconheci o espírito cômico de Todd, e enquanto continuava andando devagar, resgatei um aspecto dele que também era meu — um otimismo natural. E lentamente as folhas da minha vida se viraram, e me vi apontando coisas simples a Fred, *skies of blue, clouds of white*, esperando penetrar o véu de uma tristeza congênita. Vi seus olhos claros fitando atentamente os meus, tentando capturar meu estrabismo em sua mirada inabalável. Só isso me tomou diversas páginas, que me encheram de tanta dor e saudade que as joguei no fogo do meu coração, como Gógol queimando página após página do manuscrito de *Almas mortas 2*. Queimei todas elas, uma a uma; elas não viraram cinza, não esfriaram, mas irradiaram o calor da compaixão humana.

Como Linden mata a coisa que ama

Linden está correndo com passos leves, depressa. Ela para, atraída para uma árvore de formas perfeitas no meio de uma campina. Ela é impermeável, exceto por seu calcanhar de Aquiles — o detetive James Skinner, chefe de sua unidade e fonte de um desejo amoroso reprimido. No passado os dois foram parceiros em campo, e clandestinamente na cama, mas aparentemente isso já ficou para trás. Ainda assim, uma sombra pálida atravessa seu rosto quando ela está na presença dele. Ao se aproximar da porta de casa, ela se surpreende em vê-lo ali esperando por ela mais uma vez. Distâncias se dissolvem. Skinner apela para a humanidade dela. Linden se aproxima. Nas mãos de Skinner ela se sente em casa.

Uma moeda gira em seu eixo. Como ela vai cair não é muito importante. Cara você perde, coroa você perde. Linden ignora os sinais, acreditando que está com sorte, atingindo um perfeito equilíbrio entre amor e trabalho, Skinner e seu distintivo. A luz da manhã ilumina seu cabelo dourado puxado para trás e preso por um elástico. Silhuetas de vítimas estendidas em sequência como bonecos de papel momentaneamente dissipam as chamas que eles haviam reacendido.

O sol muda. Mais um cadáver queimando, evidência descoberta, um aro apertando sua garganta. Rendendo-se ao amor, Skinner e Linden estão mutuamente expostos. Nos olhos dele ela de repente vê outros olhos, o horror de profundezas sombrias. Vestígios forenses. Fichas encardidas. Fitas de cabelo empapadas de vergonha.

A chuva cai dos céus dos olhos azuis de Sarah Linden. Ela é varrida por uma lucidez assassina. Usando seus dotes divinos, ela identifica Skinner, seu mentor e amante, como o *serial killer*.

Holder, seu verdadeiro confidente, junta os pedaços um pouco depois dela. Com sua graça instintiva, ele rastreia os movimentos de Linden. Correndo embaixo da chuva opressiva, Holder os segue até a casa secreta de Skinner no lago. A promessa de um encontro amoroso se torna o cenário de uma justiça inexorável. Linden sente os vestígios de sua alegria flutuando entre os mortos. Vai executar Skinner por compaixão, ignorando os apelos de Holder. Ele é cauteloso, protetor; ela é rebelde. Ele observa horrorizado quando Linden puxa o gatilho, acabando com a infelicidade de Skinner, como um bezerro morto ao lado de uma estrada.

Perplexa, eu só consigo baixar a cabeça. Embarco nos pensamentos acelerados de Holder tentando desesperadamente interpretar as ações dela, prever seu futuro. Minha garrafa térmica vazia continua ao lado da cama, embrulhada na atmosfera agourenta do episódio número 38. Não demora muito para que eu me confronte com o mais cruel de todos os spoilers: não haverá episódio 39.

A temporada de *The Killing* terminou.

Linden perdeu tudo e agora eu a estou perdendo. Uma rede de televisão pôs um ponto final em *The Killing*. Existe a promessa de uma nova série, com outro detetive. Mas eu não estou pronta para abandonar Linden e não quero seguir em frente. Quero ver Linden sondar as profundezas do lago em busca de uma ossada feminina. O que fazer com essas pessoas que podemos acessar e dispensar através de um controle remoto, mas que amamos tanto quanto um poeta do século XIX, ou como um estranho que admiramos ou como um personagem da pena de Emily Brontë? O que fazer quando um deles chega a se misturar à nossa autoconsciência, mas acaba sendo transferido a um espaço finito de um portal sob demanda?

Está tudo no limbo. Um gemido de angústia emerge das águas negras. Embrulhados em plástico industrial cor-de-rosa, os mortos esperam sua campeã — Linden do Lago. Mas ela foi relegada a nada mais que uma estátua armada embaixo da chuva. Ao cometer o imperdoável, ela praticamente larga seu distintivo em cima da mesa.

Uma série de televisão tem sua própria realidade moral. Andando de um lado para o outro, imagino um spin-off da série: *Linden no Vale dos Perdidos*. Na tela, as águas negras cercam a casa do lago. O lago assume a forma de um rim doente.

Linden contempla o abismo onde se encontram seus tristes restos mortais.

"É a coisa mais solitária do mundo, ficar esperando para ser encontrado", ela diz.

Entorpecido de pesar e insônia, Holder espera naquele mesmo carro, tomando o mesmo café frio. Mantém-se em vigília até ela fazer um sinal, e ele então voltar a vagar ao lado dela pelo purgatório.

A cada semana, a história de uma vítima se desdobra. Holder ligando os pontos dos borrifos de sangue; ela desenraizando a primavera regenerativa. A árvore Linden disseminando o aroma cítrico, purificando cada garota e despindo sua mortalha de plástico e os trapos do inferno. Mas quem vai purificar Linden? Que criada sombria irá limpar os compartimentos de seu coração adulterado?

Linden está correndo. Ela para de repente e olha para a câmera. Uma Madona flamenga com os olhos de uma mulher do mato que dormiu com o demônio.

Destituída de tudo, não faz diferença para ela. Linden fez isso por amor. Só existe uma diretriz: que os perdidos sejam encontrados, que as folhas espessas encapsulando os mortos sejam abertas e que eles sejam içados aos braços da luz.

O Vale dos Perdidos

Fred tinha um caubói, o único caubói em sua cavalaria. Era um boneco de plástico vermelho, as pernas levemente arqueadas e pronto para atirar. Fred o chamava de Reddy. À noite Reddy não voltava para a caixa de papelão com o resto dos componentes do pequeno forte de Fred, mas era colocado numa estante de livros baixa ao lado da cama, onde ele podia vê-lo. Um dia, enquanto limpava o quarto, a mãe dele tirou o pó da estante e Reddy caiu sem ela perceber e simplesmente sumiu. Fred o procurou por semanas, mas não conseguiu encontrá-lo. Ele chamava por Reddy em silêncio quando ia dormir. Quando montava seu forte e alinhava os homens no assoalho do quarto, ele sentia que Reddy estava por perto, chamando por ele. Não era sua voz que chamava, mas a de Reddy. Fred acreditava nisso, e Reddy se tornou parte de nosso tesouro em comum, ocupando um lugar especial no Vale das Coisas Perdidas.

Muitos anos depois, a mãe de Fred limpou o antigo quarto de Fred. O piso estava em tão más condições que diversas tábuas precisaram ser substituídas. Quando as velhas tábuas foram removidas, várias coisas apareceram. E ali, entre teias de aranhas e moedas e pedaços de chiclete petrificados estava Reddy, que de alguma forma tinha caído numa fenda larga e sumido de vista, fora do alcance da mãozinha do garoto. Sua mãe devolveu Reddy, e Fred o guardou na estante de livros do nosso quarto, onde podia ver o boneco.

Algumas coisas atendem aos chamados e retornam do Vale. Acredito que Reddy chamasse por Fred. Acredito que Fred o ouvia. Acredito na alegria que os dois partilhavam. Algumas coisas não são perdidas, são sacrificadas. Vi meu casaco preto numa pilha aleatória no Vale dos Perdidos sendo recolhido por crianças de rua desesperadas. Alguém decente vai ficar com ele, disse a mim mesma, o Billy Pilgrim da turma.

Será que nossas coisas choram por nós? Será que carneiros elétricos sonham com Roy Batty? Será que meu casaco, todo furado, se lembra dos bons momentos do nosso companheirismo? Dormindo em ônibus de Viena a Praga, noites na ópera, caminhadas à beira-mar, o túmulo de Swinburne na Ilha de Wight, as arcadas de Paris, as cavernas de Luray, os cafés de Buenos Aires. Experiências humanas entranhadas em seus fios. Quantos poemas sangraram de suas mangas rotas? Desviei meus olhos por um instante, atraída para um casaco mais quente e macio, mas que eu não amava. Por que será que perdemos as coisas que amamos, enquanto coisas arrogantes se agarram a nós e se tornarão a medida do nosso valor quando tivermos partido?

Nossas coisas perdidas são expelidas para os lugares de onde vieram, retornando às suas origens absolutas: um crucifixo à sua árvore viva, os rubis aos seus enclaves no oceano Índico. A gênese do meu casaco, feito de uma bela lã, retrocede aos teares e ao corpo de uma ovelha, uma ovelha negra meio apartada do rebanho, pastando na encosta de uma montanha. Uma ovelha abrindo os olhos para as nuvens que por um momento se assemelham ao seu dorso lanoso de alguma forma.

Foi então que eu me toquei. Talvez eu tenha absorvido meu casaco. Suponho que deva me sentir grata, considerando o seu poder, que o casaco não tenha me absorvido. Pois eu pareceria estar entre os desaparecidos, embora estivesse simplesmente jogada sobre uma cadeira, vibrante, esburacada.

A lua estava cheia e baixa como a roda de uma diligência, sem dúvida flanqueada pelas duas torres gêmeas de Lafayette Street, onde a cabeça da garota de Picasso com rabo de cavalo domina a pracinha. Lavei e trancei meu cabelo e retirei os recipientes de café alinhados perto da minha cama, coloquei os livros espalhados e as páginas de anotações em pilhas organizadas encostadas na parede, tirei minha colcha irlandesa de um baú de madeira e troquei minha roupa de cama. Levantei o véu de musselina que protege minhas fotos de Brancusi de desbotar com o sol. Uma foto noturna de uma infindável coluna no jardim de Steichen e uma imensa lágrima de mármore. Queria ficar olhando aquilo por um tempo antes de apagar a luz.

Sonhei que estava em algum lugar que também era lugar nenhum. Parecia uma via pública em Raleigh, com pequenas rodovias se entrecruzando. Não havia ninguém à vista, e aí vi Fred correndo, embora ele raramente corresse. Ele não gostava de se apressar. No mesmo instante alguma coisa passou zumbindo por ele, uma roda girando, correndo pela estrada como se estivesse viva. Logo depois vi a face do objeto — um relógio sem ponteiros.

Acordei e ainda estava escuro. Fiquei deitada por um tempo revivendo o sonho, sentindo outros sonhos empilhados atrás daquele. Aos poucos comecei a me lembrar do todo, retrocedendo, deixando minha mente costurar os pedaços soltos. Eu estava no alto das montanhas. Seguia confiante meu guia por um caminho estreito e sinuoso. Notei que ele tinha as pernas meio tortas e parou de repente.

— Veja — falou.

Estávamos diante de um abismo alto e vertical. Fiquei imóvel, acometida de um medo irracional do vazio à frente. O guia se mantinha confiante, mas eu tinha problemas em me firmar sobre os pés. Tentei me apoiar nele, mas ele se virou e foi embora.

— Como você pode me deixar aqui? — gritei. — Como vou fazer para voltar?

Eu o chamei, mas ele não respondeu. Quando tentei me mexer, o terreno desbarrancou. Não vi saída a não ser cair ou voar.

Aí o terror físico se dissipou e eu estava no chão, diante de uma estrutura baixa e caiada com uma porta azul. Um jovem com uma camisa branca folgada se aproximou.

— Como você chegou aqui? — perguntei.

— Nós chamamos o Fred — ele respondeu.

Vi dois homens perto de uma antiga diligência com uma roda a menos.

— Você aceita um chá?

— Sim — respondi. Ele fez um sinal para os outros. Um deles entrou para fazer o chá. Aqueceu a água num fogareiro, encheu um bule de menta e o trouxe para mim.

— Quer um pedaço de bolo de açafrão?

— Sim — respondi, de repente faminta.

— Nós vimos que você estava em perigo. Nós interferimos e chamamos o Fred. Ele pegou você e a trouxe aqui.

Fred está morto, pensei. Como é possível?

— Tem a questão do pagamento — disse o jovem. — Cem mil dirhams.

— Acho que não tenho todo esse dinheiro, mas posso conseguir.

Enfiei a mão no bolso e vi que estava cheio de dinheiro, exatamente o que ele havia pedido, mas a cena já tinha mudado. Eu estava sozinha num caminho pedregoso rodeada de montanhas calcárias. Dei uma parada para refletir sobre o que havia acontecido. Fred tinha me resgatado em um sonho. E de repente eu estava de volta na estrada e o vi ao longe correndo atrás da roda com a face de um relógio sem ponteiros.

— Pega, Fred! — gritei.

E a roda colidiu com uma enorme cornucópia de coisas perdidas. Ela caiu de lado. Fred se ajoelhou e pôs a mão nela. Ele abriu um enorme sorriso, de alegria total, de um lugar sem começo e nem fim.

A hora do meio-dia

Meu pai nasceu ao pé da usina siderúrgica da Bethlehem Steel enquanto apitava a sirene do meio-dia. Assim, de acordo com Nietzsche, ele nasceu na hora estabelecida em que certos indivíduos ganham a capacidade de entender os mistérios da eterna recorrência de todas as coisas. Meu pai tinha uma bela mente. Ele parecia ver todas as filosofias com o mesmo peso e admiração. Quando alguém consegue perceber um universo inteiro, a possibilidade de sua existência parece bem tangível. Tão real quanto a hipótese de Riemann, quanto à própria fé, inabalável e divina.

Procuramos ficar no presente, mesmo quando os fantasmas tentam nos desviar. Nosso pai manejando o tear do eterno retorno. Nossa mãe perambulando em direção ao paraíso, desenrolando a fiada. No meu modo de pensar, tudo é possível. A vida está no fundo das coisas e a fé no alto, enquanto o impulso criativo, operando no meio, informa tudo. Imaginamos uma casa, um retângulo de esperança. Um cômodo com uma única cama com uma coberta clara, alguns livros preciosos, um álbum de selos. Paredes forradas de papéis com estampas florais desbotadas esmaecem e explodem como uma campina pontilhada de sol e um córrego fluindo para um riacho maior onde um barquinho espera com dois remos luminosos e uma vela azul.

Máquina de escrever de Hesse, Montagnola, Suíça.

Quando meus filhos eram novos eu produzia essas embarcações. Punha-as para navegar, mas não embarcava nelas. Raramente me afastava da nossa casa. Eu fazia minhas orações à noite perto do canal acortinado por antigos salgueiros de cabelos longos. As coisas em que tocava estavam vivas. Os dedos do meu marido, um dente-de-leão, um joelho esfolado. Não tentava enquadrar esses momentos. Não se transformavam em suvenires. Mas agora atravesso o oceano com o único objetivo de possuir em imagens únicas o chapéu de palha de Robert Graves, a máquina de escrever de Hesse, os óculos de Beckett, o leito onde Keats esteve doente. O que perdi e não consigo encontrar eu guardo na lembrança. O que não consigo ver eu tento chamar. Trabalhando em uma série de impulsos, no limiar da iluminação.

Quando eu tinha 26 anos, fotografei o túmulo de Rimbaud. As fotos não saíram excepcionais, mas continham sua própria missão, que havia muito eu tinha esquecido. Rimbaud morreu em um hospital em Marselha em 1891 com 37 anos de idade. Seu último desejo foi voltar à Abissínia, onde fora um mercador de café. Estava morrendo e não pôde ser transportado de navio naquela longa jornada. Em seu delírio, Rimbaud se imaginava a cavalo nos altiplanos abissínios. Eu tinha um colar de Harar do século XIX, cujas contas de vidro azuis eram usadas como moedas de troca. Enfiei na cabeça que iria levá-lo para ele. Em 1973 visitei seu túmulo em Charleville, perto das margens do rio Meuse, enfiei o colar na terra de uma grande urna que ficava em frente à sua lápide. Alguma coisa do país que amava ao seu lado. Eu não tinha relacionado aquelas contas de vidro com as pedras que recolhi para Genet, mas suponho que tenham se originado do mesmo impulso romântico. Presunçoso, talvez, mas não equivocado. Voltei lá uma vez depois disso e a urna não estava mais no local, mas acredito que eu continuo sendo a mesma pessoa; nenhuma mudança no mundo pode mudar isso.

Acredito no momento. Acredito nesse balão alegre, o mundo. Acredito na meia-noite e na hora do meio-dia. Mas no que mais acredito? Às vezes em tudo. Às vezes em nada. É algo que flutua como a luz refletindo numa lagoa. Acredito na vida que um dia todos vamos perder. Quando somos novos acreditamos que isso não vai acontecer, que somos diferentes. Quando era criança eu achava que nunca iria crescer, que podia realizar esse desejo com a minha vontade. E depois percebi, bem recentemente, que tinha atravessado alguma divisória, inconscientemente encoberta pela verdade da minha cronologia. Como ficamos tão velhos?, pergunto às minhas articulações, ao meu cabelo cor de ferro. Agora já estou mais velha que meu amor, que meus amigos que já se foram. Talvez eu viva tanto que a Biblioteca Pública de Nova York seja obrigada a me ceder a bengala de Virginia Woolf. Eu cuidaria da bengala para ela, das pedras de seu bolso. Mas também seguiria vivendo, recusando entregar minha caneta.

Tirei minha medalha de são Francisco do pescoço, trancei meu cabelo, ainda úmido e olhei ao redor. A casa é uma sala de leitura. Um amálgama de um sonho. A casa são os gatos, meus livros e meu trabalho sempre por termi-

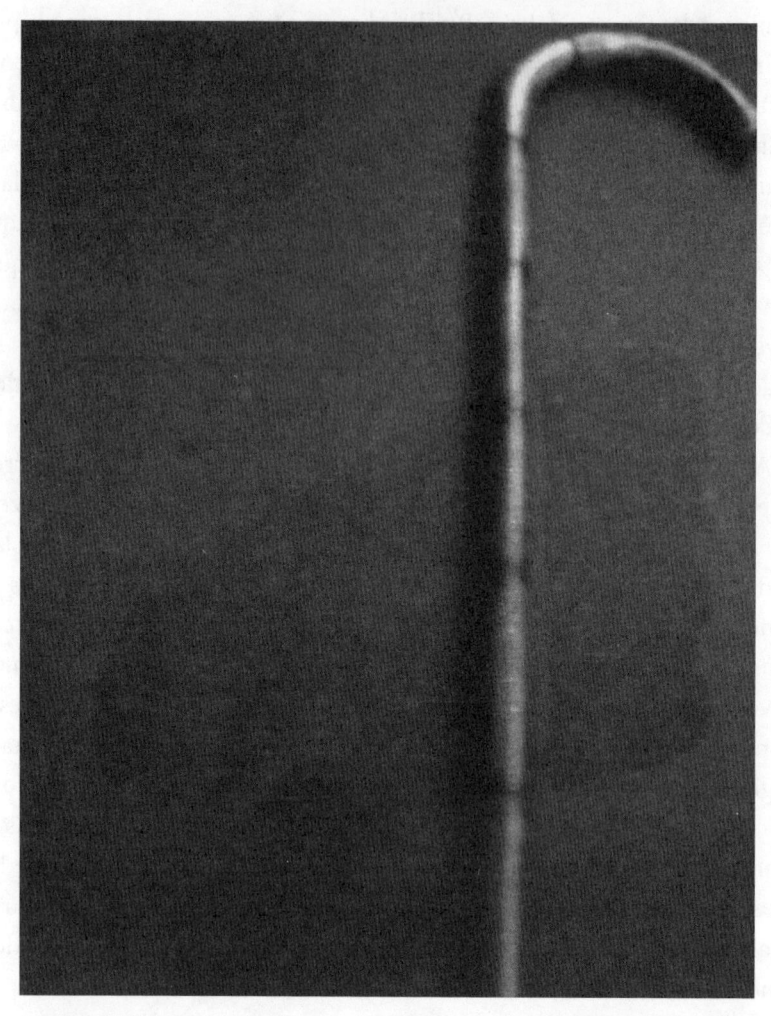

Bengala de Virginia Woolf.

nar. Todas as coisas perdidas que podem um dia me chamar, o rosto dos meus filhos que um dia me chamarão. Talvez não seja possível criar matéria a partir de devaneios nem recuperar uma espora poeirenta, mas podemos juntar o sonho e trazê-lo de volta como um todo.

Chamei Cairo e ela subiu na cama. Olhei para cima e vi uma só estrela pela minha claraboia. Tentei levantar também, mas imediatamente a gravidade levou a melhor e fui envolvida pela orla de uma estranha música. Vi o punho de um bebê sacudindo um chocalho prateado. Vi a sombra de um homem e a aba de seu chapéu Stetson. Ele brincava com um laço de criança, mas logo se abaixou, desatou o nó e o colocou no chão.

— Veja isso — ele falou.

A serpente comia a própria cauda, a soltou e comeu de novo. O laço era uma longa fileira de palavras escorregadias. Abaixei para ler o que diziam. Meu oráculo. Procurei no bolso, mas não encontrei nem lápis nem papel.

— Algumas coisas nós guardamos para nós mesmos — disse o vaqueiro.

Era o momento do duelo. A hora miraculosa. Protegi os olhos da luz ofuscante, tirei o casaco e o joguei sobre o ombro. Eu sabia exatamente onde estava. Saí do quadro e vi o que eu estava vendo. O mesmo café solitário, sonho diferente. O exterior pardo havia sido repintado de um amarelo-canário brilhante e a bomba de gasolina enferrujada estava coberta pelo que parecia ser uma grande toalha de mesa. Simplesmente dei de ombros e entrei, mas o lugar estava irreconhecível. As mesas, as cadeiras e a jukebox tinham sumido. Os painéis de pinho nodoso haviam sido arrancados e as paredes desbotadas eram de azul-colonial com lambris brancos. Havia caixotes com equipamentos técnicos, móveis de metal para escritório e pilhas de folhetos. Examinei uma das pilhas: Havaí, Taiti e o Cassino Taj Mahal em Atlantic City. Uma agência de viagens no meio do nada.

Fui até a sala dos fundos, mas a cafeteira, os grãos, as colheres de madeira e as canecas de cerâmica haviam desaparecido. Até as garrafas vazias de mescal tinham sumido. Não havia cinzeiros e nem sinal do meu filosófico vaqueiro. Senti que ele estava vindo nessa direção, mas provavelmente continuou andando quando viu a berrante pintura nova. Olhei ao redor. Também nada me prendia ali, nem mesmo a carcaça ressecada de uma abelha morta. Imaginei que se me esforçasse poderia localizar o rastro das nuvens de pó deixadas na passagem de sua velha caminhonete Ford. Talvez eu conseguisse alcançá-lo e pegar uma carona. Poderíamos viajar juntos pelo deserto, sem precisar de um guia.

— Eu amo vocês, murmurei para todos, para ninguém.

— Não brinque com o amor — eu o ouvi dizer.

Depois disso eu saí de lá, sempre em frente no lusco-fusco, caminhando no chão de terra batida. Andei até atravessar o limiar do meu sonho. Não havia nuvens de pó, nem sinais de ninguém, mas não me importei. Eu estava com sorte no meu jogo de paciência. A paisagem do deserto continuava igual: um longo e extenso pergaminho que um dia eu me divertiria preenchendo. Vou me lembrar de tudo e vou escrever tudo isso. Uma ária a um casaco. Um réquiem a uma cafeteria. Era no que eu estava pensando no meu sonho, olhando para minhas mãos.

Wow Café, píer de Ocean Beach, Point Loma.

Créditos das imagens

Todas as fotos do miolo são © Patti Smith, com exceção das seguintes imagens:

pp. 17, 19 e 113: Fred Smith

p. 77: Cortesia Greg Mitchell Archive

p. 82: © Yoshie Tominaga

p. 179: © Tim Richmond

p. 186: © Lenny Kaye

Sobre a autora

Patti Smith é escritora, performer e artista plástica. Tornou-se conhecida nos anos 1970 por sua revolucionária fusão de poesia e rock. Lançou doze álbuns, inclusive *Horses*, considerado pela *Rolling Stone* como um entre os melhores cem álbuns de estreia de todos os tempos.

Smith fez sua primeira exposição de desenhos na Gotham Book Mart em 1973, e é representada pela Galeria Robert Miller desde 1978. Seus livros incluem *Só garotos*, vencedor do National Book Award em 2010, *Wītt, Babel, Woolgathering, The Coral Sea* e *Auguries of Innocence*.

Em 2005, o Ministério da Cultura da França conferiu a Smith o título de Commandeur des Arts et des Lettres, a mais alta honraria concedida a um artista pela República da França. Foi incorporada ao Rock and Roll Hall of Fame em 2007.

Smith casou-se com o músico Fred Sonic Smith em Detroit em 1980. Tiveram um filho, Jackson, e uma filha, Jesse. Smith mora na cidade de Nova York.

1ª EDIÇÃO [2016] 2 reimpressões

ESTA OBRA FOI COMPOSTA POR OSMANE GARCIA FILHO EM MINION E
IMPRESSA PELA GEOGRÁFICA EM OFSETE SOBRE PAPEL PÓLEN SOFT DA
SUZANO S.A. PARA A EDITORA SCHWARCZ EM MARÇO DE 2024

A marca FSC® é a garantia de que a madeira utilizada na fabricação do
papel deste livro provém de florestas que foram gerenciadas de maneira
ambientalmente correta, socialmente justa e economicamente viável,
além de outras fontes de origem controlada.